INITIATION
AUX
CHAMPIGNONS

YVON LECLERC

INITIATION
AUX
CHAMPIGNONS

YVON LECLERC

ÉDITIONS
BROQUET INC

418, chemin des Frênes, L'Acadie, Qc, J2Y 1J1
Tél. : (514) 357-9626   Fax : (514) 357-9625

Données de catalogage avant publication (Canada)

Leclerc, Yvon, 1944-

Initiation aux champignons

(J'apprends seul)
Comprend des réf. bibliogr. et un index.

ISBN 2-89000-395-7

1. Champignons. 2. Champignons comestibles. 3. Champignons vénéneux. 4. Cuisine (Champignons). I. Titre. II. Collection.

QK617.L42 1995   589.2'22   C95-940135-0

Conception : Yvon Leclerc

Recherchistes : Diane Gélinas, Yvon Leclerc

Traitement de texte : Gisèle Poirier, Éric Langlois

Infographie : Antoine Broquet

Dessins : Yvon Leclerc

Lecteurs : André Giard, Georges Leclerc, Gisèle Poirier, Robert Clavet Ph. D.

Photo de la page couverture (coprin chevelu) : Société Scientifique Parallèle inc.

Copyright © Ottawa 1995
Éditions Broquet Inc.
Dépôt légal - Bibliothèque nationale du Québec
1er trimestre 1995

ISBN 2-89000-395-7

PRÉFACE

Il n'y a pas si longtemps on vous considérait comme un hurluberlu si vous demandiez la permission de pénétrer dans un bois afin d'y cueillir des champignons sauvages. Si cette crainte des champignons n'est pas complètement disparue, on s'habitue néanmoins à voir des cueilleurs de champignons dans les champs et sous-bois du Québec. Le Québec est une terre d'abondance pour ces mycologue amateurs. Contrairement à l'Europe ou les amateurs de champignons sont omniprésents, ils sont peu chez nous à se partager une variété importante de bonnes espèces particulièrement abondantes.

On a pas besoin, pour se joindre à eux, de savoir identifier les 3 000 espèces et plus de champignons que l'on retrouve au Québec. Apprendre à reconnaître une douzaine d'espèces comestibles savoureuses peut combler la plupart d'entre nous.

Profiter de quelques conseils et bien identifier les principales parties d'un champignons à l'aide de dessins simples qui permettent de faire la différence des quelques spécimens dangereux de ceux qui ne le sont pas, constituera un objectif suffisant.

Le présent ouvrage peut répondre à ce besoin. Il vous propose une méthode d'approche simple et efficace pour reconnaître les principaux champignons d'ici. Peut-être vous incitera-t-il à vouloir en savoir d'avantage et assurément il sera un gage de séjours intéressants dans la nature.

Denis Lebrun
auteur du livre :
Champignons du Québec et de l'est du Canada
Édition Nuit Blanche

TABLE DES MATIÈRES

INITIATION AUX CHAMPIGNONS

INTRODUCTION

Depuis toujours, les champignons jouent un rôle très important dans la nature. Nous savons que des civilisations très anciennes les utilisaient aussi bien en sorcellerie et en thérapie qu'à des fins alimentaires.

Leur forme souvent étrange, tantôt attrayante et tantôt repoussante, leur couleur, leur odeur, la soudaineté de leur apparition, leur taille petite ou considérable ont toujours attiré l'attention de l'homme et stimulé sa curiosité.

❏ Le **biologiste** est surtout captivé par la diversité des espèces (recensement et amélioration des descriptions, perfectionnement des classements), leur rôle dans la chaîne alimentaire (dégradation) et leurs liens avec les autres plantes ou animaux (étude des maladies).

❏ L'**artiste** et le photographe y voient une source inépuisable de formes et de couleurs.

❏ Le **chercheur** médical espère en tirer de nouveaux médicaments (antibiotiques, drogues susceptibles d'être utiles en psychiatrie, etc.). Il est donc non seulement concerné par les intoxications qui résultent de la consommation d'espèces dangereuses, mais aussi, par les possibilités de traitement des maladies, des allergies, etc.

Le commun des mortels s'intéresse avant tout à leur valeur alimentaire. Il s'attardera à observer différentes sortes de champignons supérieurs, c'est-à-dire que l'on peut aisément voir à l'œil nu au cours d'une promenade. Cependant, il n'osera pas les consommer de peur qu'ils soient dangereux. Parmi les quelque 3000 espèces connues de champignons, seulement une trentaine d'espèces au Québec peuvent causer des intoxications graves et, dans de rares cas, la mort.

Savoir identifier certains bons champignons n'est pas difficile; avec un peu d'attention, vous arriverez à reconnaître avec certitude certaines espèces. Plus on veut connaître d'espèces de champignons, plus il est important de savoir bien observer les spécimens. Dans des cas plus difficiles, il est utile d'avoir quelques notions sur la biologie des champignons.

Quel que soit le volume consulté, l'identification d'une espèce prend la forme d'une énumération de termes descriptifs souvent inconnus du simple amateur. Ces termes ont toutefois leur importance. Ce guide pratique, grâce aux planches descriptives composées de dessins schématiques, permettra à l'observateur de bien décrire les spécimens cueillis tout en se familiarisant progressivement avec le vocabulaire propre à la mycologie.

1. HISTORIQUE

Voici un bref aperçu historique des principaux évenements et des grands noms reliés au progrès de la connaissance des champignons supérieurs.

Vᵉ siècle av. J.-C.

❑ Hippocrate (médecin de l'antiquité grecque) écrit les premiers documents sur l'utilisation des champignons en tant qu'aliments et médicaments. On retrouve les premières indications d'intoxication par les champignons.

IVᵉ siècle av. J.-C.

❑ Théophraste (philosophe et naturaliste grec) effectue plusieurs recherches sur les champignons mais ses conclusions nous feraient sourire aujourd'hui. Il note les caractèristiques négatives des champignons qui n'ont ni racines, ni bourgeons, ni fleurs, ni fruits et qui ne dégagent pas d'odeur désagréable lorsqu'ils croissent sur le fumier.

Iᵉʳ siècle ap. J.-C.

❑ Pline l'Ancien (naturaliste romain) constate que les champignons croissent en terrain humide surtout après des pluies abondantes. Il effectue une classification des champignons comestibles et vénéneux en précisant les caractères qui permettent de les distinguer.

❑ Dioscoride (médecin grec) note que les champignons sont surtout utilisés comme condiment. Il conseille l'administration d'un clystère (lavement) d'eau salée dans le cas d'une trop grande consommation.

1193-1280

❏ Albert le Grand (philosophe dominicain et savant) détermine que l'amanite tue-mouches est vénéneuse et indique la façon d'en atténuer son effet.

1500-1577

❏ Pierre-André Mattioli (médecin naturaliste de Sienne) réunit toutes les connaissances de la botanique médicinale de son temps.

...-...

❏ Jean-Baptiste Porta constate la présence de graines sous le chapeau des agarics et dans les truffes. Cependant, les sceptiques continuèrent longtemps à croire à la génération spontanée des champignons par l'action de la foudre ou par un ferment malfaisant de la terre (Nicandre).

1519-1603

❏ André Césalpin (médecin et naturaliste d'Arezo, Italie) établit de sérieuses bases pour une classification des champignons qu'il considère à juste titre comme des fruits.

1656-1708

❏ Joseph Pitton de Tournefort (professeur au Jardin des Plantes de Paris) explique comment cultiver le champignon de couche. Il constate la présence de filaments sous terre qui proviendraient des semences. Il propose une classification des champignons.

1679-1737

❏ Pierre-Antoine Micheli (botaniste florentin, directeur des Jardins publics de Florence) décrit quelque 900 espèces de champignons. Il les illustre à l'aide de planches provenant de gravures sur cuivre. À partir de culture de différentes espèces de champignons, il démontre que ces derniers, tout comme les plantes, naissent d'une graine. Ce fut le premier à utiliser le microscope pour observer les lamelles des agarics.

1707-1778

❏ Carl von Linné propose une nomenclature binaire, chaque plante étant déterminée par le nom de son genre et par celui de son espèce.

1752-1793

❏ Bulliard réunit dans son ouvrage des planches en couleurs qui illustrent divers champignons.

1755-1837

❏ Christian Persoon (Hollandais), un fondateur de la mycologie moderne, élabore une classification rationnelle des champignons.

1769-1849

❏ Trattinick désigne sous le nom de «mycélium» les filaments des champignons.

1794-1878

❏ Elias Fries (Suédois, professeur à l'université d'Upsald) perfectionne le système de classification des champignons en considérant la couleur des spores et d'autres caractéristiques microscopiques. Il fut considéré comme le père de la mycologie descriptive.

1796-1870

❏ Joseph-Henri Léveillé différencie les structures végétatives et reproductives des champignons. Il désigne sous le nom de «basides», les organes de reproduction de plusieurs espèces de champignons.

1815-1885

❏ Les frères Louis-René et Charles Tulasne (botanistes), grâce à leurs nombreuses illustrations, montrent qu'un même champignon prend différentes formes au cours de son développement.

1831-1888

❏ Anton de Bary, réputé comme étant le père de la phytopathologie (étude des maladies des plantes), démontre que plusieurs des champignons supérieurs causent des maladies chez les plantes. Il utilise les termes «parasite» et «saprophyte».

1839-1801

❏ Robert Hartig est considéré comme le père de la pathologie forestière (étude des maladies des arbres).

1854-1926

❏ Narcisse Théophile Patouillard groupe les genres de champignons d'après les caractères des cystides, des basides et des spores. Il publie de nombreux traités.

1904-1993

❏ René Pomerleau (botaniste québécois, D. Sc., L.L.D. de la Société Royale du Canada) est l'auteur d'un remarquable ouvrage sur les champignons du Québec et un des pères de la mycologie au Canada.

2. BIOLOGIE DES CHAMPIGNONS

Les champignons sont classés parmi les cryptogames, c'est-à-dire des plantes dont les organes de reproduction, les spores (semences ou graines microscopiques), sont peu apparentes. Ce sont des plantes sans fleurs.

Ces plantes sont cependant tout à fait particulières, car elles sont dépourvues de chlorophylle (pigment permettant aux végétaux de fabriquer leur propre nourriture). Les champignons doivent donc trouver là où ils vivent les aliments nécessaires à leur croissance. Ils sont donc dépendants des autres éléments (plantes, animaux ou débris) pour survivre.

De par son mode de vie, la plante champignon présente, d'une part, une partie souterraine (non apparente) composée d'un réseau de filaments (mycélium ou blanc du champignon) qui s'étale considérablement dans la terre, le tronc d'un arbre ou la matière organique à la recherche de nourriture et, d'autre part, une partie aérienne (visible) dont le rôle consiste à produire des spores (graines). Cette dernière est appelée champignon. Dans certains cas, le champignon se situe dans la terre et ce qui sort du sol serait comme le fruit du champignon. On peut prendre comme exemples : le champignon de couche (champignons que vous achetez) est vraiment un champignon, qui pousse hors terre; la vesse-de-loup (celui sur lequel vous posez le pied et dont en sort une poussière) serait le fruit du champignon.

Au début de sa croissance, le jeune champignon peut être protégé par une ou deux membranes **(fig 1)**. Chez l'amanite, par exemple, une première membrane **(voile général ou universel)** enveloppe tout le champignon; ce dernier prend la forme d'un œuf. Au cours de son développement, cette membrane se rompt, laissant à la base du pied un sac plus ou moins déchiqueté **(volve).** Une deuxième membrane **(voile partiel)** relie le bord du chapeau et le pied; ce voile finit par se

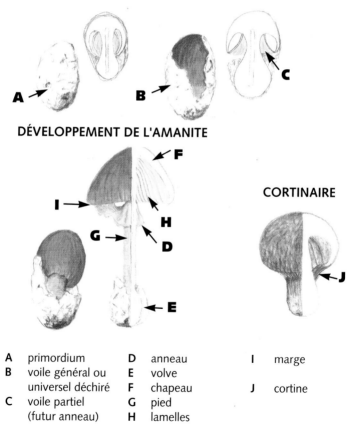

DÉVELOPPEMENT DE L'AMANITE

CORTINAIRE

A	primordium	D	anneau	I	marge
B	voile général ou	E	volve		
	universel déchiré	F	chapeau	J	cortine
C	voile partiel	G	pied		
	(futur anneau)	H	lamelles		

Figure 1 : Parties des champignons (**A** à **I**, amanite) (**J** cortinaire).

déchirer laissant un **anneau** autour du pied. Chez les cortinaires **(fig 1)**, il n'y a pas d'anneau, ce sont des filaments qui ressemblent à des fils d'araignée **(cortine)**.

À ce moment, nous pouvons apercevoir sous le chapeau des lamelles (des aiguillons chez les hydnes, des tubes chez les bolets et les polypores) **(fig 2)**. Ces structures portent des renflements (basides) où sont localisées les spores. Il est à noter que chez certaines espèces de champignons (telles les morilles, verpes, gyromitres, helvelles, pézizes), les spores mûrissent dans de petits sacs (asques) qui recouvrent les alvéoles ou le bord du réceptacle. À maturité, le champignon libère les spores qui ensemenceront d'autres milieux, et meurt.

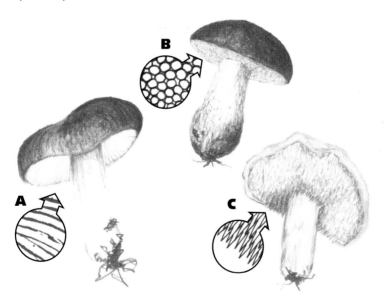

Figure 2 : Ces dessins nous montrent 3 familles de champignons : **A**) à lamelles (**agarics**); **B**) à tubes (**bolets** ou **polypores**); **C**) à aiguillons (**hydnes**).

Le temps de développement du champignon varie beaucoup selon l'espèce. Certains types de coprins se contentent de quelques jours pour sortir de terre ou du fumier, grandir, mûrir et se dissoudre. Mais certaines espèces de champignons, surtout si elles sont lignicoles (qui habitent dans le bois), peuvent continuer à vivre et à se développer durant des jours et des semaines entières. D'autres espèces se développent pendant plusieurs saisons ou plusieurs années avec une période de repos durant les grands froids.

Le mycélium, quant à lui, ne meurt pas à la suite de la production de champignons. Il peut épuiser le terrain sur lequel il a prospéré et aller conquérir autour de lui en terrain nouveau. Il prendra donc la forme d'un anneau où apparaîtront les champignons la saison suivante. Le diamètre de l'anneau augmentera d'année en année. On a attribué longtemps un pouvoir magique à ces anneaux surnommés «ronds de sorcières» (**fig 3**).

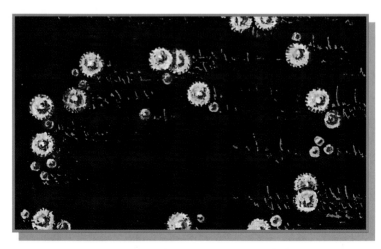

Figure 3 : Marasmes d'oréade poussant en «rond de sorcières».

2.1 HABITATS

Les champignons se développent selon des conditions de vie extrêmement variées; on en trouve dans les zones tropicales comme dans les régions à climat froid. La zone tempérée est certainement la plus propice à leur développement.

Chaque espèce ne fréquente cependant que les lieux pouvant lui offrir les éléments indispensables à sa croissance et où elle trouve des conditions atmosphériques parfois précises (humidité, température). Ce milieu correspond à son habitat.

Photographie Robert de la Chevrotière

Certains champignons comme les bolets ou encore des lépiotes à pied élevé (ci-dessus) peuvent atteindre une taille respectable.

On peut rencontrer des champignons :
- ❏ en milieux **forestiers**;
- ❏ en milieux **partiellement dégagés** (bordure des cours d'eau, clairières, etc.);
- ❏ en milieux **dégagés** (prairies, parterre, etc.);
- ❏ dans des **tourbières**;
- ❏ en milieux **enrichis ou particuliers** (troncs d'arbres, feuilles, brindilles, humus, grottes, etc.).

L'habitat par excellence des champignons est sans contredit la forêt. Mais les forêts ne sont pas toutes bonnes pour la croissance de tous les champignons; certaines espèces de champignons exigent la présence d'une plante précise avec laquelle elles vivent en association ou y sont reliées de quelques autres façons. On peut découvrir des champignons qui croissent sur des troncs d'arbres, des feuilles, des fruits de conifères tombés par terre et même sur d'autres champignons, telle la **dermatose des russules** qui parasite, entre autres, la **russule à pied court**.

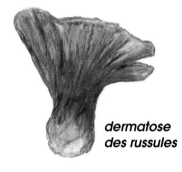

dermatose des russules

russule à pied court

Dans les milieux plus ouverts habitent tout de même des champignons des plus intéressants. Par exemple, dans l'herbe et le long des sentiers apparaît le **marasme d'oréade**.

marasmes d'oréade

Sur les terres non cultivées poussent des **coprins**, des **morilles** et des **pézizes**. Sur le sol des prés et des terres cultivées engraissées avec du fumier organique croissent en groupes de nombreux spécimens tels le **coprin noir d'encre** et certaines **psalliotes**. Par contre, sur les terres cultivées et fumées avec des engrais chimiques, on observe peu de champignons.

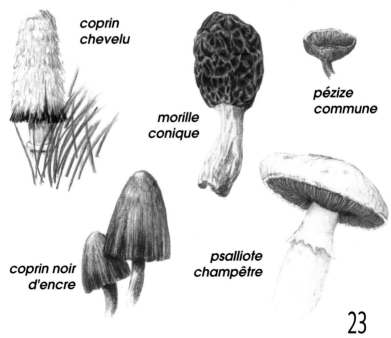

coprin chevelu

morille conique

pézize commune

coprin noir d'encre

psalliote champêtre

23

Les données sur l'habitat que l'on retrouve dans la littérature sont considérées comme la moyenne des situations rencontrées. Il se peut que l'on observe dans les forêts de conifères un champignon qui se développe habituellement dans un bois de feuillus. Ainsi, l'habitat ne doit pas être considéré comme seul critère pour identifier un champignon. Il est cependant important de noter le lieu où l'on trouve telles sortes de spécimens afin de faciliter les cueillettes futures.

2.2 SAISONS DE FRUCTIFICATION

En laboratoire, dans des caves ou autres constructions où l'on peut maintenir des conditions atmosphériques (température et humidité) favorables à la croissance des champignons, ces derniers se développent tout au cours de l'année. En milieu naturel, on peut les observer du printemps jusqu'au début de l'hiver (seulement en été dans les régions nordiques).

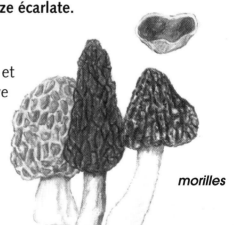

pézize écarlate

❑ La neige est-elle à peine fondue qu'apparaît la **pézize écarlate.**

❑ Mais c'est en avril et mai que l'on trouve des **morilles**, des **coprins** et le **gyromitre géant**.

morilles

24

coprin micacé

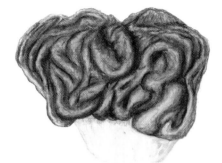

gyromitre géant

❑ Dès l'été, le sol de certaines forêts est parsemé de **bolets comestibles**, d'**hygrophores rouges ponceaux**.

bolet comestible

hygrophore rouge ponceau

❑ À la fin d'août et en septembre, on assiste à une poussée importante de la **plupart** des **espèces.**

❑ Dès la fin de l'automne, on observe les **pleurotes**, la **paxille enroulée**, les **hygrophores.**

pleurote tardive

25

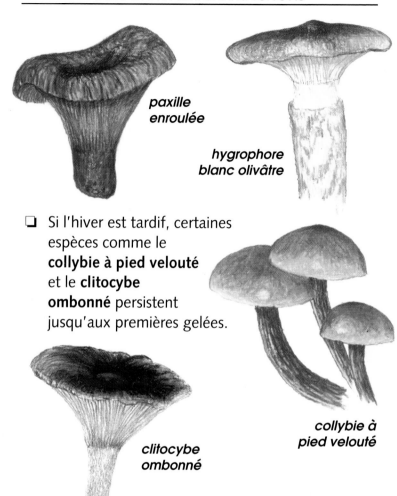

paxille enroulée

hygrophore blanc olivâtre

❏ Si l'hiver est tardif, certaines espèces comme le **collybie à pied velouté** et le **clitocybe ombonné** persistent jusqu'aux premières gelées.

collybie à pied velouté

clitocybe ombonné

Dans les régions tempérées, les champignons apparaissent depuis la fin avril jusqu'au début novembre. Mais les périodes les plus favorables se situent au printemps, du 15 mai au 15 juin, puis en été et en automne, du 15 août au 15 octobre. Cependant, on peut faire de bonnes récoltes en été, du 15 juin au 15 août, si le climat est humide, et même en octobre et novembre.

Sous des conditions climatiques défavorables, il arrive que certaines espèces n'apparaissent pas au cours de l'année. Un été sec ne permet guère la croissance des **bolets**. Si la pluie survient tardivement, les champignons d'été ne se montrent pas, ce qui évite tout au moins de les confondre avec les espèces d'automne.

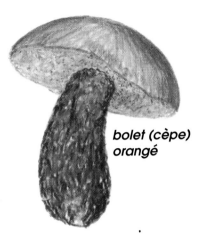

bolet (cèpe) orangé

Du début décembre à la fin avril, les champignons mènent une vie non apparente. En forêt, on peut cependant voir sur les arbres des champignons ligneux (texture de bois) et subéreux (consistance de liège) tels les **polypores des bouleaux**, ou les vestiges des champignons charnus, produits de l'automne précédent.

polypores des bouleaux

L'apparition saisonnière des champignons est donc liée, entre autres, au climat local; selon les régions, les espèces sont plus ou moins hâtives ou tardives.

27

3. VALEUR NUTRITIVE DES CHAMPIGNONS

Bien que consommés depuis les temps anciens, on possède (mis à part le champignon de couche) peu de renseignements sur la valeur nutritive des différents champignons. Kiger (1951) note des variations importantes de la composition chimique de 57 espèces. Il détermine qu'ils contiennent en moyenne :

❏ **EAU :** de 79,2 à 95,9 % (les espèces coriaces, comme la plupart des polypores, sont évidemment moins riches en eau; ex : **polypore vivace**, 13,8%);

polypore vivace

❏ **MATIÈRES MINÉRALES :** 0,7 à 1,1% (tel potassium, phosphore, cuivre, calcium, sodium);

❏ **LIPIDES :** 0,1 à 2,6%;

❏ **PROTIDES :** 0,6 à 7,4%;

❏ **CELLULOSE :** 0,3 à 12,0%

❏ **GLUCOSES ASSIMILABLES :** 0,6 à 12,5%;

❏ **SUCRE TOTAL :** 0,00 à 1,1%.

Le champignon de couche, plus précisément, possède de plus les vitamines B1, B2, C, K, la niacine, l'acide pentothénique et des traces visibles d'acide folique.

Au point de vue nutritif, les champignons n'ont rien à envier aux légumes. Ils ne remplacent cependant pas la viande. En effet, pour équivaloir à 1 kg de viande de bœuf (qui nous apporte 2 500 calories), il nous faudrait consommer :

- ❏ 3 kg d'**helvelles;**
- ❏ 5,5 kg de **lépiotes élevées;**
- ❏ 8,3 kg de **lactaires délicieux;**
- ❏ 25 kg de **clitocybes;**
- ❏ 41,6 kg de **chanterelles**.

*helvelle à
pied blanc*

*lépiote à
pied élevé*

*lactaire
délicieux*

*clitocybe
en touffe*

*chanterelle
ciboire*

29

Contenant une proportion appréciable de membranes indigestes, les champignons ne doivent donc pas être consommés en très grande quantité, mais ils doivent plutôt être utilisés comme complément ou condiment. De plus, il est préférable de consommer les jeunes champignons; leur membrane encore fine est très facilement décomposable par les sucs digestifs et très nutritive.

Pour conclure, on peut affirmer que les champignons sont des aliments complets. Leur valeur nutritive est inférieure à celle des féculents mais supérieure à celle de la salade. Faibles en calories, au goût qui diffère d'un champignon à un autre, en passant par la saveur de l'ail, des patates rissolées et même de celle du champignon que vous achetez... ils procurent des plaisirs gastronomiques certains.

4. INTOXICATION PAR LES CHAMPIGNONS

Sur quelque 2 000 espèces de champignons supérieurs répertoriés, on estime à 11 le nombre d'espèces vénéneuses à différents degrés, et à 14 celles douteuses. Ces espèces peuvent causer des intoxications assez graves mais très rarement mortelles, et peut-être une centaine au maximum seraient responsables, à l'occasion, de troubles gastriques ou autres exceptionnellement sérieux ou désagréables (Pomerleau, 1980). Ces champignons renferment des toxines dont les effets peuvent être différents, voire opposés. La description de ces espèces et de leurs symptômes nous semble fastidieuse. Il existe des ouvrages spécialisés qui peuvent être consultés, tel **«Les champignons vénéneux et nocifs du Canada» Ammirati, Traquair et Horgen, Éditions Broquet. (1986)**

Avant de terminer, nous vous conseillons de vous procurer le miniguide Nathan tout terrain de E. Gardenwiedner (1986) intitulé : **«Champignons vénéneux» : Comment les identifier avec certitude et les distinguer des champignons comestibles».E. Gardenweidner, Éditions Nathan.**

Ce petit document que l'on peut glisser dans sa poche permet au simple amateur d'identifier rapidement et à coup sûr les espèces vénéneuses et de les distinguer de leurs sosies comestibles. Plusieurs de ces espèces européennes sont présentes au Québec.

Pour les débutants avancés, environ 300 champignons ont un intérêt culinaire et sont relativement faciles à identifier.

4.1 CHAMPIGNONS MORTELS

Il existe des espèces de champignons dont les toxines sont mortelles ou dangereuses. En Europe, au Canada et dans les région limitrophes des États-Unis, il y aurait 32 espèces possèdant des toxines telles que l'ama-toxine, l'orellanine et des toxines inconnues qui sont toutes considérées comme mortelles.

Dans ces 32 espèces, 4 attirent notre attention plus particulièrement. Ces 4 champignons mortels ne poussent pas partout; par exemple jusqu'à présent au Québec, seules l'amanite vireuse et l'amanite bisporigène ont été observées dans la plaine du Saint-Laurent. Deux autres espèces existent plus au sud du Québec et au nord des États-Unis : ce sont les amanites phalloïde et printanière. Pour ce qui est de l'Europe, on retrouve les amanites vireuse, phalloïde et printanière, cette dernière possèdant les mêmes caractéristiques que la phalloïde, à part la couleur du chapeau.

En France, 90% des empoisonnements sont dus à l'amanite phalloïde, c'est-à-dire une douzaine d'empoisonnements par année.

- ❏ l'**amanite phalloïde**;
- ❏ l'**amanite bisporigène;**
- ❏ l'**amanite vireuse**;
- ❏ l'**amanite printanière**.

 AMANITE PHALLOÏDE
Amanita phalloides

photo : ministère de l'Agriculture du Canada

photo : ministère de l'Agriculture du Canada

 AMANITE BISPORIGÈNE
Amanita bisporigera

 AMANITE VIREUSE
Amanita virosa

photo : ministère de l'Agriculture du Canada

33

AMANITE PRINTANIÈRE
Amanita verna

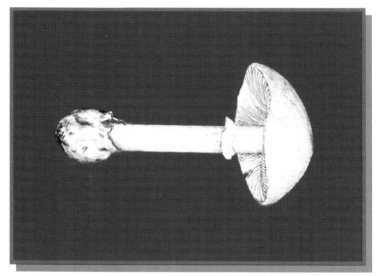

Voici une brève description des principaux **champignons mortels** :

L'**amanite vireuse** et l'**amanite bisporigène** fréquentent les bois de feuillus ou les bois mixtes. Elles poussent sur le sol. Ce sont des champignons :

❏ tout **blancs** (ou un peu jaunâtres pour l'amanite bisporigène);
❏ en forme de **parasol**;
❏ possédant un pied renflé à la base (bulbeux) et recouvert d'une **volve**;
❏ présentant un **anneau** membraneux autour du pied;
❏ à **lamelles blanches** sous le chapeau supportant des spores blanches;
❏ dont le **chapeau** se **sépare** aisément du pied.

34

Il importe donc pour l'amateur d'éviter les espèces présentant à la fois des lamelles blanches, un anneau et une volve. Si le champignon est inconnu, déterrez soigneusement le pied de quelques spécimens à l'aide d'un couteau ou d'une truelle afin de vérifier la présence ou non d'une volve autour du pied.

En cas de consommation d'un champignon mortel, les symptômes n'apparaissent que cinq à douze heures après l'ingestion et ce, pendant 24 heures. Les symptômes sont les suivants (par ordre chronologique) : pâleur au visage, nausées, vomissements, troubles intestinaux (diarrhées), crampes abdominales, qui peuvent être accompagnées de crampes aux pieds et aux jambes, coliques, sueurs, état de prostration et mort. Il peut y avoir atteinte secondaire au cœur et au système nerveux (convulsions et coma). Il n'existe aucun remède miracle; la victime peut cependant ingérer de l'eau avec du sel. Aucun procédé de conservation ne détruit la toxine de ces amanites (amanitine). Elle cause une destruction cellulaire, des dommages au foie, aux reins et la mort. La dose léthale d'amanitine pour un adulte est de 5 à 10 milligrammes, 1 gramme de champignon séché contient 5 milligrammes d'amanitine. S'il n'est pas traité ou s'il est pris trop tard, ce type d'intoxication présente un taux de mortalité de plus de 50%. Il est donc important de pouvoir les reconnaître.

Il ne s'agit pas de vous faire peur, mais plutôt de vous faire prendre conscience des dangers et de vous faire connaître les principaux symptômes.

4.2 CHAMPIGNONS ENTRAÎNANT DES TROUBLES AU SYSTÈME NERVEUX

La principale espèce susceptible de provoquer des troubles au système nerveux est l'**amanite tue-mouches.**

Très abondant dans nos forêts, ce champignon à lamelles et en forme de parasol possède un chapeau orange couvert de verrues. En cas d'ingestion, l'apparition des symptômes survient plus rapidement que ceux provoqués par les champignons mortels, soit 20 minutes à 2 heures après l'ingestion. Les personnes ayant consommé un tel champignon passent successivement du délire à l'excitation, accompagnés de vomissements, d'hallucinations, de diarrhées et, au bout de quelques heures, à un sommeil profond. On conseille de prendre un vomitif et un calmant.

amanite tue-mouches

Il existe d'autres types de champignons qui peuvent affecter le système nerveux. Notons, parmi les plus communs, le **coprin noir d'encre.**

Consommé avec une boisson alcoolisée, ce champignon parfaitement comestible peut provoquer chez certaines personnes des effets très déplaisants (chaleur, rougeur au visage et au cou, engourdissements, vomissements, sueurs). Les sujets se rétablissent habituellement dans les heures qui suivent, sans complication.

coprin noir d'encre

Quelques champignons contiennent une substance toxique : la muscarine. L'ingestion de cette toxine provoque des sueurs d'une surabondance prodigieuse, des troubles oculaires et cardiaques passagers. Curieusement, si elle n'est pas mortelle pour l'homme, le rendant seulement bien malade, cette toxine est mortelle pour les chats. D'autres champignons ont des effets hallucinogènes qui provoquent, entre autres, des vertiges, de la fièvre, des convulsions, etc.

4.3 CHAMPIGNONS ENTRAÎNANT DES TROUBLES GASTRO-INTESTINAUX

Certains champignons présentent des toxines qui, lorsqu'elles sont ingérées, causent principalement une irritation gastro-intestinale.

Il faut faire attention, entre autres, à certains **lactaires à toison** (âcres) et **clavaires petite langue** (purgatives). L'apparition des symptômes (vomissements, crampes abdominales, diarrhées, faiblesses) survient rapidement, de 30 minutes à 2 heures après l'ingestion.

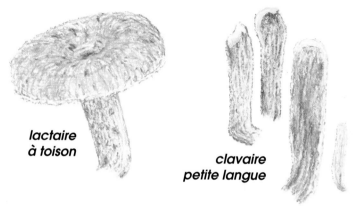

lactaire à toison

clavaire petite langue

4.4 AUTRES CAS D'INTOXICATIONS

À l'état cru, certaines espèces de champignons contiennent une toxine (l'hémolysine) :

❏ les **helvelles;**
❏ l'**amanite rougissante;**
❏ la **verpe de Bohême;**
❏ les **gyromitres.**

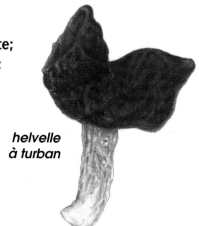

helvelle à turban

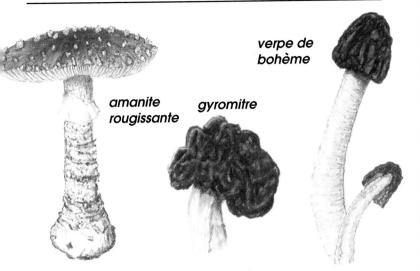

verpe de bohème

amanite rougissante

gyromitre

Toutefois, ce produit s'évapore en grande partie lors de la cuisson (60°C) des champignons. Il faut éviter cependant de respirer les vapeurs de cuisson. La **gyromitre** ou fausse morille a un chapeau brun rougeâtre, creux et en forme de cervelle (globuleux-lobé, plissé-sinueux), supporté par un pied blanc ou jaunâtre, plutôt trapu, irrégulier et entièrement creux. Les scientifiques ne s'accordent pas sur la toxicité de ce champignon, donc il est recommandé de ne pas le manger. Tous les champignons appartenant au genre gyromitre contiendraient des hydrazines qui s'attaqueraient au sytème nerveux central. La toxine s'accumule dans l'organisme.

4.5 MESURES PRÉVENTIVES

⚠ Il est recommandé de ne pas cueillir les champignons blancs, les champignons qui possèdent un anneau, les champignons avec volve et les champignons avec anneau et volve. Ces groupes de champignons sont pour les experts.

⚠ Il faut toujours examiner l'ensemble des caractéristiques lorsque vous cueillez des champignons.

⚠ Ne pas cueillir les champignons trop jeunes puisqu'ils sont souvent impossibles à identifier avec certitude.

⚠ Rejetez les champignons trop vieux, détériorés ou mal conservés.

⚠ Lors de la récolte, séparez les champignons en utilisant des sacs de papier pour chaque espèce différente.

⚠ Ne consommez que des champignons qui ont été identifiés avec certitude.

⚠ Il faut refuser systématiquement toutes les invitations pour manger des champignons crus.

⚠ Il est préférable de ne pas consommer de champignons sans les avoir soumis à une cuisson suffisamment poussée.

⚠ Les champignons fraîchement cueillis se conservent un à deux jours au réfrigérateur dans un emballage aéré, dans un sac de papier brun entrouvert, mais jamais dans des contenants de plastique.

⚠ Si une espèce de champignon est consommée pour la première fois, ne faites cuire qu'une petite quantité par personne, car chaque individu présente des sensibilités différentes.

⚠ Les champignons reconnus comestible peuvent créer, chez certaines personnes, des allergies.

⚠ Mangez une nouvelle espèce à la fois par période de 24 heures.

⚠ **Il est important de s'informer à votre hôpital pour obtenir le numéro de téléphone du centre antipoison le plus près de votre domicile.**

CENTRE ANTIPOISON

Tél. : _____

HôPITAL

Tél. : _____

41

5. LES TRUCS TROMPEURS

Le simple amateur émet souvent des hypothèses qui s'avèrent fausses. En voici quelques-unes auxquelles il ne faut accorder aucun crédit :

❏ Les champignons consommés par les insectes ou les limaces sont toujours comestibles. **FAUX**

❏ Les champignons toxiques ont un aspect dégoûtant. **FAUX**

❏ Les champignons toxiques libèrent un liquide laiteux. **FAUX**

❏ Les champignons blancs sont toujours comestibles. **FAUX**

❏ À la suite d'une cassure, les champignons comestibles ne changent pas de couleur. **FAUX**

❏ Les jeunes champignons sont tous comestibles. **FAUX**

❏ Les champignons qui dégagent une senteur agréable sont comestibles. **FAUX**

❏ Les champignons qui se développent sur les arbres ou sur les souches d'arbres sont tous comestibles. **FAUX**

❏ Les champignons de parterre sont tous comestibles. **FAUX**

❏ Les champignons qui croissent sur les détritus sont toxiques. **FAUX**

❏ Au cours de la cuisson, les champignons qui font brunir une gousse d'ail, un oignon ou une pièce d'argent sont toxiques. **FAUX**

❏ Les champignons qui font cailler le lait sont mortels. **FAUX**

❏ La peau des champignons toxiques s'enlève difficilement. **FAUX**

❏ Les toxines sont détruites lors d'une cuisson prolongée des champignons. **FAUX**

❏ En jetant l'eau de cuisson, les champignons sont toujours comestibles. **FAUX**

❏ Le vinaigre supprime les toxines. **FAUX**

❏ En retirant la peau, les champignons sont toujours comestibles. **FAUX**

❏ Un seul champignon mortel dans un plat ne suffit pas à intoxiquer gravement. **FAUX**

Il n'y a donc pas de formule parfaite. Le seul moyen d'éviter les intoxications, c'est d'apprendre à reconnaître les champignons par leurs caractéristiques. Vous devez consommer un champignon seulement si vous avez identifié l'espèce de façon certaine.

6. IDENTIFICATION DES CHAMPIGNONS

6.1 NOMENCLATURE

Les scientifiques utilisent une nomenclature binaire latine pour identifier les champignons. Chaque champignon possède un nom de genre, par exemple *pleurotus* qui signifie **pleurote**, et un adjectif qui précise l'espèce, tel *ostreatus* qui veut dire **en forme d'huître**, pour le pleurote en forme d'huître. Ce nom latin est souvent suivi du nom du mycologue qui a écrit et baptisé le champignon. Le simple amateur, pour sa part, retient difficilement ce nom et demande un nom commun. Ce dernier existe mais peut être ambigu et varie selon la région de l'auteur; par exemple, le **bolet comestible** peut être appelé cèpe, cèpe comestible, cèpe de Bordeaux. Le nom latin est international; il sera le même au

pleurote en forme d'huître

Canada, aux États-Unis ou en Europe. Pour vérifier la description d'un champignon avec un autre volume, il est important que le nom latin soit le même.

bolet comestible

6.2 IDENTIFICATION

L'identification des champignons est fondée avant tout sur les traits physiques. Observez bien la forme, la taille, la consistance, la couleur, l'odeur du champignon.

À cela, s'ajoutent les exigences quant à l'habitat, à la période d'apparition du champignon et aux caractéristiques plus subtiles que l'on ne peut observer qu'à l'aide d'un microscope ou de réactions chimiques. Cependant, nous pouvons facilement identifier plusieurs espèces en négligeant ces dernieres caractéristiques.

Quel que soit le volume consulté, l'identification d'une espèce prend la forme d'une énumération de termes descriptifs souvent inconnus du simple amateur. Ces termes ont toutefois leur importance. Ce guide pratique, grâce aux planches descriptives situées en annexe, permettra à l'observateur de bien décrire les spécimens cueillis; la présence de nombreux dessins schématiques lui facilitera la tâche. De plus, l'amateur se familiarisera progressivement avec le vocabulaire utilisé en mycologie.

Parmi les éléments à observer, notons :

L'apparence générale du champignon

(planches 1 à 7 **-voir annexe-**)

Planche 4

Planche 5

Planche 6

Planche 7

Les champignons se présentent sous différentes formes. En observant bien l'apparence de celui que vous venez de récolter et en consultant les planches descriptives **(1 à 7)** situées en **annexe**, vous pouvez facilement déterminer la famille à laquelle il appartient. Il est à noter que la famille des agarics (champignons à lamelles) comprend plusieurs espèces. Pour bien identifier chaque spécimen, vous devez tenir compte des divers caractères indiqués plus loin **(planches 8 à 18)**. Ce qui est difficile dans l'étude des champignons c'est de trouver à quel genre ils appartiennent. Le **tableau** ci-contre vous aidera à distinguer d'une façon facile les champignons de la famille des agarics.

Au début du livre nous vous avons parlé des champignons à tubes, à éguillons et à lamelles. Mais il existe des champignons aux formes et couleurs différentes de ceux que nous connaissons. Tous ces éléments rendent l'étude des champignons difficile. Pour cette raison nous avons regroupé dans des tableaux **(page 49 à 54)** les champignons qui se ressemblent visuellement, sans tenir compte de la classification scientifique, car le but visé par ce document n'est pas de faire de vous un scientifique, mais plutôt un amant de la nature.

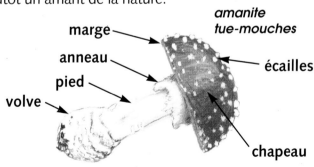

Figure 4 : Parties d'un champignon

CHAMPIGNONS À LAMELLES

La famille des agarics est la plus difficile pour un débutant puisque c'est celle dans laquelle se trouve le plus de ressemblances. Mais il est possible de s'y retrouver assez facilement si on les observe bien . D'abord on peut dire qu'il y a les champignons dont le pied se sépare facilement du chapeau et ceux dont le pied est difficilement séparable.

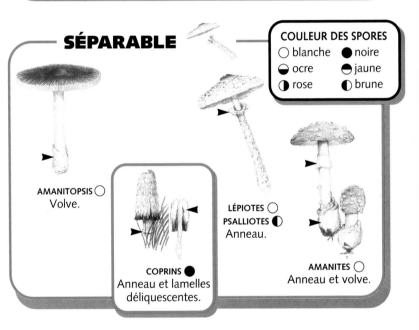

SÉPARABLE

COULEUR DES SPORES
○ blanche   ● noire
◖ ocre   ◕ jaune
◗ rose   ◑ brune

AMANITOPSIS ○
Volve.

COPRINS ●
Anneau et lamelles déliquescentes.

LÉPIOTES ○
PSALLIOTES ◗
Anneau.

AMANITES ○
Anneau et volve.

La couleur des spores (semence) est déterminante dans le cas des champignons qui ont des caractéristiques semblables. La couleur des lamelles nous donne un bon indice de la couleur de la sporée. Par exemple, si les lamelles sont de couleur brune, il y a de fortes chances que la couleur de la sporée soit brune. Mais même s'il s'agit d'un indice utile, ce n'est pas une formule tout à fait sûre.

NON SÉPARABLE

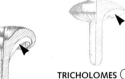

ARMILLAIRES ○
PHOLIOTES ◑
STROPHAIRES ●
Anneau

PAXILLES ◑
En forme d'entonoir.
Lamelle décurrentes
se détachant
facilement.

CLITOCYBES ○
CLITOPILES ◐
Champignon en
forme d'entonoir.
Lamelle décurrentes.

TRICHOLOMES ○
ENTOLOMES ◐
HYPHOLOMES ●
Lamelles sinuées.

Certains champignons possèdent
des cortines (filaments comme des
fils d'araignée) à la place de
l'anneau. On les
nomme : cortinaire.

CORTINAIRES ◐
Cortine.

RUSSULES ○
Chair cassante et
granuleuse, sans lait

LACTAIRES ○
Chair cassante et
granuleuse, avec lait

MARASMES ○
Pied cartilagineux.
Chair imputrescible.

PLEUROTES ○
Lamelles décurrentes.
Pied latéral.

COLLYBIES ○
Pied cartilagineux.
Chair putrescible.

HYGROPHORES ○
Lamelles décurentes
cireuses.

COULEUR DES SPORES
○ blanche   ● noire
◑ ocre   ◓ jaune
◐ rose   ◑ brune

La forme des lamelles est une caractéristique plus difficile à observer.
Avec un peu d'habitude et en comparant ces formes avec celles
d'autres champignons, il vous sera plus facile de les reconnaître.

CHAMPIGNONS À TUBES

Il existe des champignons qui possèdent des tubes (texture d'éponge) à la place des lamelles. Il y a ceux qui poussent sur les arbres et que l'on appelle polypores. Enfin, il y a ceux qui poussent généralement sur le sol: ce sont des bolets

BOLETS
Tubes en éponge.
La couleur des spores
varie de jaune à brun.

POLYPORES
Tubes courts.
La couleur des spores
varie selon l'espèce.

Il existe un polypore qui ne ressemble en rien à un autre polypore. C'est le polypore en ombelles.

CHAMPIGNONS À AIGUILLONS

Certains champignons ont des aiguillons au lieu des tubes. Ce sont les hydnes.

HYDNES
Avec des aiguillons
ils peuvent être en forme de parasol.
Nous pouvons rencontrer les hydnes sur les arbres avec un pied latéral, ou encore en rameaux entrelacés sur les arbres.

CHAMPIGNONS À RÉCEPTACLE

Lorsque nous parlons de champignons, il nous vient en tête les champignons que l'on achète (champignons de Paris ou de couche). Mais les champignons peuvent prendre une forme différente de ce que l'on en connaît. C'est le cas des champignons à réceptacle.

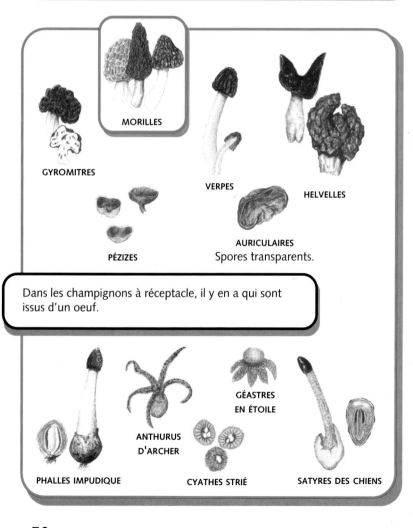

MORILLES

GYROMITRES

VERPES

HELVELLES

PÉZIZES

AURICULAIRES
Spores transparents.

Dans les champignons à réceptacle, il y en a qui sont issus d'un oeuf.

PHALLES IMPUDIQUE

ANTHURUS D'ARCHER

GÉASTRES EN ÉTOILE

CYATHES STRIÉ

SATYRES DES CHIENS

CHAMPIGNONS EN FORME DE BOULE

Nous trouvons des champignons qui ont des formes différentes du parasol. Nous avons tous entendu parler des vesses-de-loup. Ces champignons (carpophores) ont une forme généralement en boule ou en poire.

VESSES-DE-LOUP EN FORME DE POIRE

BOVISTES

VESSES-DE-LOUP

SCÉRODERMES
Ce n'est pas une vesse-de-loup. Sa chair est noire tandis que la chair de la vesse-de-loup est blanche lorsqu'elle est jeune.

TRUFFES
comme un tubercule.

CHAMPIGNONS EN FORME D'ARBUSTE

Les clavaires ont souvent la forme d'arbustes, mais ils peuvent avoir une forme de massue avec des vergetures. Ils peuvent aussi prendre la forme de languettes.

CLAVAIRES
en forme d'arbuste

CLAVAIRES
en forme de massue

CHAMPIGNONS EN FORME DE LANGUETTES

CLAVAIRES

XYLAIRES

MITRULES

CHAMPIGNONS À PLIS

Si vous effectuez une coupe transversale d'un de ces champignons, vous pourrez observer qu'ils ont des plis. Dans le cas des chanterelles, on peut imaginer y voir des lamelles mais avec une petite loupe, on se rend compte qu'il s'agit de plis. C'est ce qui caractérise ces champignons.

CHANTERELLES

HYPOMYCES
Les plis sont dûs aux anciennes lamelles que possédait le champignon avant d'être parasité par le dermatose des russules. Observez la régularité des plis.

CLAVAIRES
Dans le cas de ces espèces, on peut parler de vergetures plutôt que des plis.

54

LES AUTRES (LIGNICOLES)

Beaucoup de champignons poussent sur des troncs d'arbre. Ils sont toutefois moins intéressants à voir au niveau de l'initiation à la mycologie. Ce sont généralement des champignons gélatineux, ou coriaces.

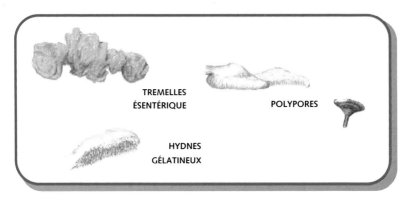

**TREMELLES
ÉSENTÉRIQUE**

POLYPORES

**HYDNES
GÉLATINEUX**

individuellement

en touffe

soudés à la base

Les champignons peuvent pousser en touffe, soudés à la base, en ronds de sorcière, ou individuellement.

en ronds de sorcière

Traits distinctifs des parties du champignon
(Planches 8 à 18 -voir annexe-)

En plus de l'apparence générale, plusieurs traits distinctifs des parties du champignon doivent être examinés attentivement pour arriver à en déterminer avec certitude le type. Ces traits particuliers sont très importants à considérer chez ceux ayant la forme d'un parasol ou d'une console et qui peuvent comprendre :

un chapeau; des lamelles ou des tubes; un pied; des voiles dont on trouve les vestiges (volve, anneau) à maturité.

À l'aide des planches descriptives **(8 à 18)**, vous devez bien caractériser chaque partie du champignon :

TRAITS DISTINCTIFS DES PARTIES DU CHAMPIGNON :

- ❑ forme du chapeau **(planche 8)**
- ❑ texture du chapeau **(planche 9)**
- ❑ marge du chapeau **(planche 10)**
- ❑ mode d'attachement des lamelles ou des tubes au pied **(planche 11)**
- ❑ profil des lamelles et forme des lamellules **(planche 12)**
- ❑ distribution et forme des lamelles ou des tubes **(planches 13A- 13B)**
- ❑ position et forme du pied **(planche 14)**
- ❑ texture du pied **(planches 15A - 15B)**
- ❑ description de la volve **(planche 16)**
- ❑ description de l'anneau **(planches 17A- 17B)**
- ❑ description de la chair **(planche 18)**
- ❑ autres caractéristiques (couleur du chapeau, du pied, des lamelles, des spores, de la chair, l'odeur, etc.).

CHAPEAU

- ❏ **forme** (planche 8)
- ❏ **texture** (planche 9)
- ❏ **marge** (planche 10)

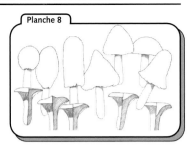

Planche 8

Planche 9

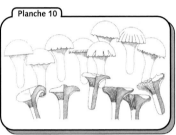

Planche 10

LAMELLES OU TUBES

- ❏ **mode d'attachement au pied** (planche 11)
- ❏ **profil des lamelles et forme des lamellules** (planche 12)
- ❏ **distribution et forme** (planches 13A - 13B)

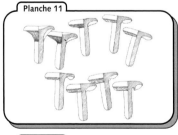

Planche 11

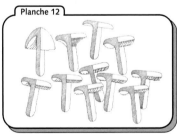

Planche 12

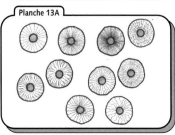

Planche 13A

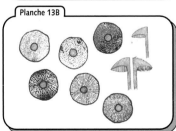

Planche 13B

PIED
- **position et forme**
  (planche 14)
- **texture**
  (planches 15A - 15B)

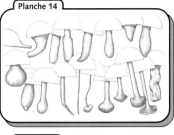

Planche 14

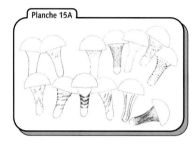

Planche 15A

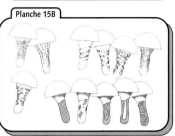

Planche 15B

VOLVE
- (planches 16)

ANNEAU
- (planches 17A - 17B)

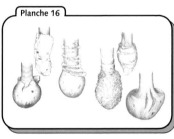

Planche 16

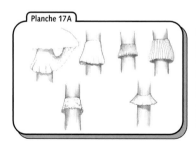

Planche 17A

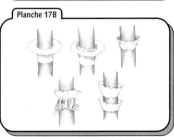

Planche 17B

Il est à noter qu'un champignon peut adopter différents aspects au cours de son développement.

Par exemple, le chapeau peut être globuleux au jeune âge, conique, campanulé puis mamelonné à maturité.

Il importe donc que les spécimens devant être identifiés soient à différents stades de développement. À l'aide d'un couteau ou d'une truelle, déterrez soigneusement le pied de chaque champignon afin de déterminer la forme du bulbe du pied et la présence ou non d'une volve autour de la base du pied.

Description de la chair

En général, la chair des champignons présente, entre autres, une consistance assez tendre pour être consommée. On observe cependant des variations selon l'espèce. Appréciable par le toucher, la chair peut être molle, tendre, ferme, gélatineuse, cassante, laiteuse, etc.

Autres caractéristiques

Couleur

Tout comme la couleur extérieure du chapeau et du pied, celle des lamelles ou des tubes et de la chair demeure assez constante pour une espèce donnée. Mentionnons cependant qu'elle peut changer (la perception des couleurs demeure relative pour chaque personne) :

- ❏ selon l'âge;
- ❏ entre la récolte et l'examen;
- ❏ par le froissement des tissus;
- ❏ par la cassure d'un organe qui expose la chair.

Ces changements peuvent être lents ou rapides, parfois instantanés, comme le **bleuissement** de certains **bolets** et le r**ougissement** de l'**amanite rougissante.** Il ne faut donc pas surestimer cette caractéristique lors de l'identification d'un champignon.

bolet bleuissant

amanite rougissante

Par ailleurs, la couleur de certains tissus ou le **latex des lactaires** ne changent pas après le bris des tissus.

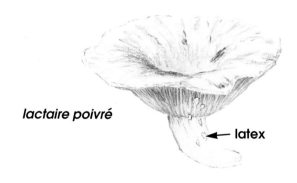

lactaire poivré

← latex

Enfin, la couleur des spores fournit un trait important pour déterminer le genre ou l'espèce, surtout chez les champignons à lamelles. L'une des méthodes les plus utiles pour récolter les spores est l'opération désignée sous le nom de sporée. Ce procédé consiste à placer le chapeau du champignon sur un carton (mat de préférence) ou une feuille de papier de couleur foncée, bleue de préférence (parce que les spores sont très souvent blanches, parfois noires, mais jamais bleues), de telle sorte que les lamelles, tubes ou autres surfaces fertiles reposent sur le carton ou la feuille.

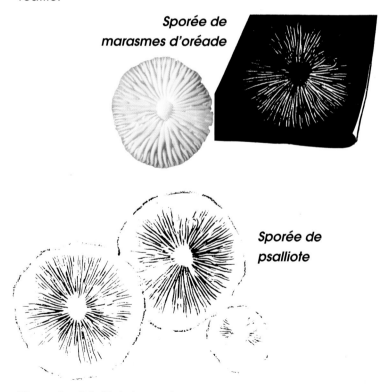

Sporée de marasmes d'oréade

Sporée de psalliote

Figure 5 : Dépôt de la sporée

Ordinairement, il est préférable de couper le pied au niveau des lamelles, mais on peut aussi perforer le papier ou le carton pour le passer au travers. Ce procédé est aussi utilisé pour les petites espèces ou celles dont le pied se détache difficilement du chapeau. Le carton est déposé sur un verre rempli d'eau; la base du pied du champignon est donc plongée dans l'eau. Nous vous conseillons de recouvrir le chapeau d'un verre ou d'une feuille de plastique parce que la simple présence d'un courant d'air pourrait faire déplacer les spores. Après au moins 12 heures, soulevez le chapeau avec d'infinies précautions, le moindre geste malhabile gâtant définitivement la sporée. Vous pourrez voir l'accumulation de spores disposées en lignes rayonnantes comme les lamelles des agarics ou en pointillés comme les tubes des bolets.

Vous pouvez conserver le carton ou la feuille pour vous monter une collection de sporées. Cependant, vous devez fixer les spores. Il existe différentes techniques :

❏ vaporisation d'un vernis ou d'un plastique incolore en aérosol, en ayant soin de tenir l'aérosol à 40 cm du papier;

❏ utilisation d'une couche très mince de blanc d'œuf battu liquide ou de colle délayée dans autant d'eau et étendue sur le carton avant d'y recueillir la sporée.

Odeur

Souvent très caractéristique, l'odeur de la chair des champignons fraîchement froissés ou brisés peut fournir une indication précieuse pour l'identification de certaines espèces. Les jeunes champignons, à l'état frais, peuvent dégager, selon l'espèce, des odeurs fortes, des parfums subtils, des senteurs plus ou moins désagréables, repoussantes ou même nauséabondes.

6.3 MÉTHODE PROPOSÉE

La méthode proposée dans ce guide est la suivante :

❏ Complétez une fiche d'identification **(fig. 6 et annexe)** pour chaque type de champignon en vous référant aux planches descriptives déjà vues dans les pages précédentes et situées à la fin du document; ces dernières illustrent les différentes formes susceptibles d'être observées.

❏ D'abord, cueillez le champignon au complet avec sa racine (pour l'identification).

❏ Indiquez bien le numéro de référence sur les fiches et la description complète.

❏ N'hésitez pas à prendre des notes qui peuvent être souvent très pertinentes dans la détermination de l'espèce , sur l'habitat par exemple.

❏ Comparez vos résultats avec ce volume.

❏ N'accordez qu'une valeur relative aux planches en couleurs.

❏ Si vous n'êtes pas absolument certain de la comestibilité du champignon, jetez-le.

N.B. Cette fiche peut-être classé et vous servir de référence dans le futur.

FICHE D'IDENTIFICATION

Nom commun : _____

Apparence générale du champignon (planches 1 à 7) _____

_____

Forme du chapeau **(planche 8)** _____

Texture du chapeau **(planche 9)** _____

Marge du chapeau **(planche 10)** _____

Mode d'attachement des lamelles ou des tubes au pied **(planche 11)** _____

Profil des lamelles et forme des lamellules **(planche 12)** _____

Distribution et forme des lamelles ou des tubes **(planches 13A - 13B)** _____

Position et forme du pied **(planche 14)** _____

Texture du pied **(planches 15A - 15B)** _____

Description de la volve **(planche 16)** _____

Description de l'anneau **(planches 17A - 17B)** _____

Description de la chair **(planche 18)** _____

_____

Remarques : _____

Couleur :   du chapeau : _____

          du pied : _____

          des lamelles ou des tubes : _____

          des spores : _____

          de la chair : _____

autres informations pertinentes : _____

habitat : _____

Figure 6 : Fiche d'identification (voir original en annexe).

7. EN QUÊTE DE CHAMPIGNONS

7.1 MATÉRIEL

❏ un **panier rigide** pourvu de compartiments et, si possible, d'un couvercle pour éviter d'échapper les champignons ou des petites boîtes en carton, des **sacs en papier** (jamais en plastique) ou un rouleau de papier ciré qui servira à fabriquer des papillotes;

❏ un **couteau** de poche (canif) à lame suffisamment longue pour pouvoir déterrer le pied des champignons;

❏ un **bloc-notes**;

❏ un ou deux **crayons**;

❏ votre **volume** de référence.

En forêt plus spécifiquement :

❏ une **boussole** ou une montre à aiguilles;

❏ un **sifflet** (facultatif);

❏ des **vêtements confortables** (voyants en période de chasse);

❏ des **bottillons de marche;**

❏ un **imperméable;**

❏ des **allumettes de bois** déposées dans un pot;

❏ une petite **trousse de secours.**

N.B. Il est toujours permis d'apporter des jumelles ou une lunette d'approche pour observer, entre autres, les oiseaux.

7.2 QUELQUES SAGES CONSEILS

En milieux ouverts

De belles récoltes peuvent être faites en milieux ouverts, par exemple dans votre jardin ou au parc, au bord des chemins, dans les champs en friche à proximité de votre résidence ou de votre village. Avant de récolter des champignons sur les parterres des voisins, veuillez :

❏ Demander la **permission** aux occupants de la maison.

❏ Vous **informer** si des **herbicides** ou des insecticides ont été répandus sur le sol; si tel est le cas, ne consommez aucun champignon. (N.B. des herbicides sont fréquemment employés pour détruire les mauvaises herbes sous les pylônes).

❏ Ne jamais mélanger les **espèces différentes**; il est préférable de les mettre dans des sacs de papier individuels. Cela évite que les spores (semences) des champignons dangereux se déposent sur les champignons comestibles.

❏ **Habituer** les enfants à ne pas toucher les champignons lorsqu'ils sont seuls et surtout assurez qu'ils ne portent jamais à leur bouche des champignons sans votre présence.

❏ Vous **laver** les mains après chaque cueillette et identification, parce que la sporée des vénéneux peut s'y être déposée.

❏ Lors de la cueillette, utiliser la **jointure** du pouce pour vous gratter lors de démangeaisons : cela évitera des infections possibles par des spores sur une plaie ou encore dans les yeux.

En forêt

À la bonne saison, du moins si le temps n'est pas trop sec, il y a des champignons presque partout. Mais il ne faut pas parcourir la forêt au hasard et à l'aveuglette. Vous risquez de revenir sans aucun spécimen ou de vous perdre. Il vous faut organiser une battue en règle. La technique du quadrillage donne généralement d'excellents résultats, surtout si l'on opère à plusieurs. Voici quelques conseils :

❏ Si possible, ne partez **jamais seul**.

❏ Si vous êtes seul, **informez** vos proches de votre départ, de votre destination et de l'heure approximative de votre retour.

❏ Notez l'heure du départ afin de **prévoir** l'heure de retour.

❏ Avant d'entrer en forêt, déterminez quelques **points de repères** fixes (antennes, pylônes, chemins, gros arbres, rochers, etc.) et pendant la cueillette, vérifiez régulièrement ces repères.

❏ Utilisez une **boussole** ou une **montre** pour vous orienter. Avant d'entrer dans le bois, la méthode consiste à placer la petite aiguille de votre montre en direction du soleil afin de déterminer dans quelle direction vous allez marcher en tenant pour acquis que le sud est toujours à midi. Lors du retour, vous placez votre petite aiguille en direction du soleil et vous revenez en direction contraire de votre départ. Ex. : si, lors de votre entrée, vous avez marché en direction de quatre heures, pour revenir, après avoir 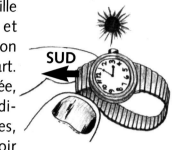 placé votre petite aiguille en direction du soleil, il vous faudra marcher en direction de dix heures.

❏ **Traversez** tranquillement la forêt; si vous êtes plusieurs, laissez une distance de 5 mètres entre chaque personne.

❏ **Visitez** à fond et très soigneusement la forêt (sous les hautes fougères, au pied des gros arbres, sur les bois morts, sur les arbres, etc.).

❏ En saison très sèche, recherchez les **emplacements** privilégiés où une certaine humidité parvient encore à se maintenir (explorez les souches, visitez les alentours des trous d'eau et des mares, les souches et leurs environs, le bord des ruisseaux, etc.).

❏ Il est prudent d'apporter un **sifflet** pour pouvoir communiquer sa position, car il est facile d'entendre le son par grand vent.

❏ Vérifiez le **temps** passé en forêt et calculez autant de temps pour revenir;

❏ Retournez au point de départ avant le **crépuscule**.

ATTENTION À L'HERBE À PUCE !

Il existe dans différentes régions du monde des plantes dangereuses au toucher. Il est sage de s'informer dans un centre antipoison pour connaître ces plantes.

Au Québec, l'herbe à puce est très dangereuse pour tout le monde. Il faut être très prudent puisque si l'on cherche dans les volumes sous le mot **HERBE À PUCE,** on trouvera ce nom : *APOCIN/*(apocynaceae); cette plante possède pendant la période de floraison des petites clochettes d'un blanc rosé. Les gens croient à tort que l'**apocin** est l'herbe à puce. **La véritable herbe à puce a pour nom latin :** *Toxicodendron rydbergii* ou *rhus radicans.*

L'herbe à puce atteint 30 à 60 cm de hauteur. On peut la rencontrer presque partout. Le pied est de couleur marron, les branches possèdent des groupes de 3 feuilles. Au début de l'été, les feuilles sont vert pâle, puis vert foncé. Les fleurs verdâtres sont cachées par les feuilles. En juillet, les fleurs se transforment en fruits verts et deviennent beige ocre en mûrissant. À l'automne, le feuillage se revêt de couleurs vives. Pour la détruire, ne jamais la brûler, informez-vous au bureau du ministère de l'Agriculture du Québec de votre région.

Tiré du volume **AGENDA LOISIR**,
Yvon Leclerc et Gisèle Poirier, Édition Québec Science.

7.3 MÉTHODE D'ÉCHANTILLONNAGE

Pour les espèces destinées à être étudiées à la maison ou collectionnées

Toutes les espèces sont intéressantes, même celles vénéneuses.

Dans une colonie, choisissez autant les jeunes spécimens que ceux d'âge moyen et adulte.

Récoltez les champignons au complet et ne les nettoyez pas : tout ce qui recouvre ou salit les champignons peut être utile pour identifier les spécimens. De plus, récoltez les champignons en conservant un peu de terre autour du pied s'ils sont terrestres, ou quelques fragments de bois s'ils sont lignicoles.

Conservez la volve, l'anneau, les écailles (s'il y a lieu) et les autres ornements.

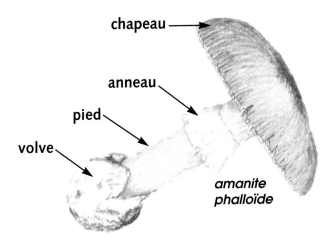

chapeau

anneau

pied

volve

amanite phalloïde

Évitez les manipulations et les froissements trop rudes qui peuvent altérer le champignon.

Placez avec précaution, en petits groupes, dans des sacs en papier numérotés, les spécimens appartenant à une même espèce et correspondant à différents stades de développement, ou séparément si les espèces diffèrent ou semblent différer.

Placez ces sacs dans un panier en évitant qu'ils soient écrasés; les petites espèces fragiles peuvent être déposées dans des boîtes en carton.

Inscrivez dans un carnet, sous le numéro correspondant au sac, toutes les observations qui vous semblent être utiles à l'identification des spécimens :

❑ la **date**;

❑ l'**endroit**;

❑ l'**habitat** (prairie fraîche, humide ou sèche, clairière, forêt dense et ombragée ou clairsemée et ensoleillée);

71

- ❏ s'ils **poussent** par terre ou sur un arbre (type d'arbre);

- ❏ l'**odeur**;

- ❏ la **couleur**, la **viscosité**, etc.

- ❏ Mieux encore, **photographier** sur place les plus beaux spécimens.

Déshydratation par le froid

Pour ceux qui aimeraient conserver les plus beaux spécimens afin d'en faire une collection, deux possibilités s'offrent à vous : le séchage sur le dessus du réfrigérateur et la déshydratation par le froid. La première méthode déforme généralement le champignon, la seconde, à notre avis, est la meilleure, puisqu'elle garde la forme et la couleur du champignon presque intactes. Cette méthode consiste à mettre le champignon dans un sac de papier brun épais et à le

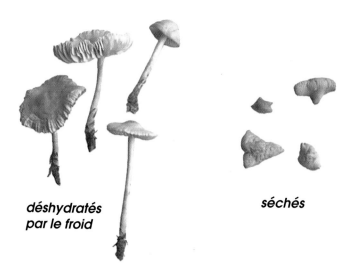

déshydratés par le froid

séchés

déposer dans le congélateur, le sac entrouvert, et à attendre de huit à douze mois que la déshydratation se fasse. Par la suite, les déposer dans un sac transparent fermé hermétiquement.

Pour les espèces destinées à être consommées

❏ **Excluez** les espèces dont vous n'êtes pas absolument sûr qu'elles soient comestibles (suivre la démarche des fiches d'identification pour confirmer le type de champignon cueilli).

❏ **Excluez** les champignons restés longtemps sous la pluie; ils n'ont pas de saveur ni de goût et sont indigestes.

❏ **Excluez** les spécimens trop vieux (à maturité) ou trop jeunes (à peine sortis de terre), ils sont difficiles à identifier avec certitude.

❏ **Excluez** les champignons infestés de larves d'insectes.

❏ Ne **cueillez** pas tous les spécimens d'un groupe; laisser en terre au moins un des spécimens les plus mûrs afin de permettre la reproduction de l'espèce.

❏ **Cueillez** le plus proprement possible, soit en coupant le pied avec un couteau bien aiguisé, soit en l'arrachant avec soin avant de supprimer la base souillée de terre, d'humus, etc.

❑ À moins de les cueillir pour fins d'identification, il est préférable de **préparer** les champignons à l'endroit même de la récolte, pour faciliter la multiplication du champignon sur le site.

Pour les champignons à lamelles, il est nécessaire de récolter le champignon en entier en prenant soin de creuser autour de la base du pied de façon à déterminer sa forme et à vérifier l'existence ou non d'une volve. Sans cette précaution, une quelconque **amanite vireuse** (mortelle) privée de sa volve peut être identifiée comme étant une innocente **psalliote des bois**.

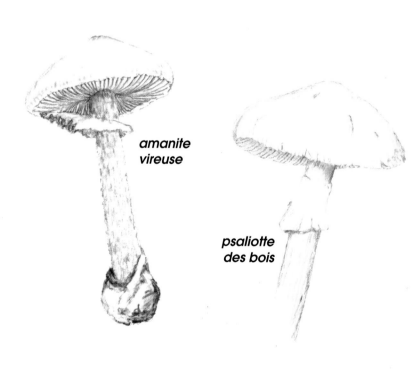

amanite vireuse

psaliotte des bois

Lorsque le champignon a été identifié :

❏ **Nettoyez**-le bien.

❏ **Enlevez** les tubes ou les aiguillons s'il y a lieu.

❏ **Enlevez** le pied seulement quand il est fibreux.

❏ **Placez** le champignon dans un panier rigide, le pied tourné vers le haut; certaines petites larves d'insectes éventuellement logées iront aussitôt vers la base du pied qu'il suffira de couper le lendemain pour vous débarrasser de ces hôtes indésirables.

7.4 QUE FAIRE DE RETOUR CHEZ SOI

Pour les espèces destinées à être étudiées à la maison ou collectionnées

❏ **Placez** temporairement les champignons en lieu frais.

Pour les espèces destinées à être consommées

❏ **Complétez** le nettoyage des champignons :
   • Ne les placez pas dans l'eau.
   • Utilisez une brosse à dents pas trop dure et un couteau de poche pointu et bien aiguisé.

❏ **Coupez** les champignons en deux, du sommet du chapeau à la base du pied.

❏ **Vérifiez** s'il n'y a pas d'hôtes

clandestins (larves d'insectes), qui devront être expulsés.

❏ **Jetez** le champignon si ces hôtes sont trop nombreux (en quelques heures, ces petits vers peuvent le ravager).

❏ **Enlevez** la cuticule du chapeau de certaines espèces, car chez certains bolets (tels le **bolet élégant**, le **bolet jaune** et de jeunes **gomphides**), la cuticule est très visqueuse.

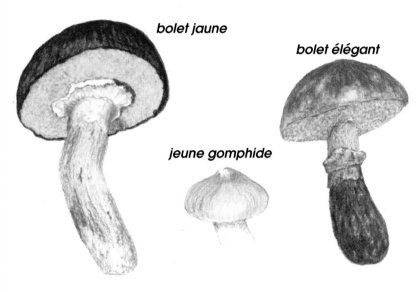

bolet jaune

bolet élégant

jeune gomphide

N.B. La cuticule de la plupart des autres espèces est généralement savoureuse et parfumée; l'enlever serait appauvrir le champignon.

❏ **Enlevez** toutes les parties insipides et indigestes (les écailles, les parties du pied coriaces, cartilagineuses ou remplies de parasites).

❏ Si les champignons cueillis dépassent en **quantité** les besoins immédiats :

• Destinez à la **consommation** immédiate les plus délicats (tel le **coprin chevelu** qui s'altère rapidement) et les plus développés; gardez-les quelques jours au réfrigérateur dans un sac de papier entrouvert. Certains spécimens gorgés d'eau se dessécheront partiellement et gagneront en saveur et en consistance. (**N.B.** Ne soumettez pas les champignons à une seconde réfrigération, ils s'abîmeront).

• **Soumettez** les autres champignons à l'un des différents traitements capables d'en assurer la conservation (voir : Conservation des champignons).

• **Jetez** sans regret les champignons qui ont perdu leur odeur et leur couleur naturelle.

❏ Les coprins chevelus doivent être essuyés avec un papier essuie-tout. Si vous décidez de les passer à l'eau, il faut les mettre en position debout et laisser couler un mince filet d'eau froide sur le chapeau et, par la suite, bien les essuyer, afin qu'ils ne s'imprègnent pas d'eau, ce qui enlèverait leur saveur et leur arôme naturels. Asséchez immédiatement avec un linge légèrement humide, puis avec un linge bien sec.

❏ Le fait d'**ajouter** du vinaigre à l'eau de lavage, bien que certains mycologues le conseillent, semble tout à fait superflu, voire nuisible.

8. CEUX-LÀ, CUEILLEZ-LES SANS CRAINTE

Beaucoup de personnes craignent de consommer les champignons qu'ils ont récoltés. Il y a cependant des espèces que l'on ne risque pas de confondre avec d'autres.

BON   **TRÈS BON**   **EXCELLENT**

CHAMPIGNONS DE PELOUSE

Parmi les champignons qui poussent sur la pelouse ou le parterre, certaines espèces sont faciles à reconnaître et sont considérées comme d'excellents comestibles. Notons entre autres :

 le coprin chevelu
coprinus comatus Mull. ex. Fr.

 le marasme d'oréade
marasmius oreades Bolt. ex. Fr.

8.1 COPRIN CHEVELU
Coprinus comatus Mull. ex. Fr.

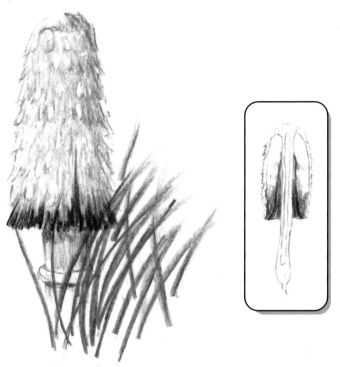

Il est important de savoir que la communauté scientifique a donné des noms scientifiques pour s'assurer que l'on parle des mêmes espèces d'un pays à l'autre. Autrement dit, lorsque vous cherchez dans un volume le nom d'un champignon, il faut vous assurer que le nom latin soit identique même si le nom commun est différent. Le nom commun peut varier d'un pays à l'autre à cause des légendes, des mœurs ou coutumes des différents pays. Pour ces raisons, nous inscrivons les noms latins pour les espèces que nous étudierons.

Les coprins sont des champignons assez fréquents à la ville comme à la campagne. Ils se reconnaissent à leurs spores noires et, surtout, à leurs lamelles déliquescentes (se liquéfiant).

Parmi les coprins, le coprin chevelu est considéré comme un excellent champignon. Présent au cours de la saison automnale, il croît généralement en groupes assez compacts sur les terrains biens fumés, les pelouses enrichies, les jardins, les bordures des routes, les décharges publiques. Il peut atteindre 10 à 20 cm de haut et 6 cm de diamètre.

On reconnaît le coprin chevelu à son haut chapeau blanc, cylindrique, revêtu de mèches ou d'écailles blanches ou brunes, à ses lamelles très serrées qui se liquéfient en gouttelettes noires chargées de spores à maturité. À ce moment, la marge de son chapeau noircit et se fend. Son chapeau cache une partie importante du pied. Ce dernier est blanc, lisse et cassant; il porte un anneau étroit, membraneux, qui se détache facilement (mobile), se retrouvant à la base légèrement renflée du pied ou disparaissant. La base du pied ne présente aucune volve.

Si vous croyez être en présence de coprins chevelus, ne vous fiez pas seulement à ces critères pour confirmer l'identification de vos spécimens. Il vous faut apprendre à bien caractériser chaque champignon. Vous trouverez à la page 76 la fiche d'identification de cette espèce; elle a été élaborée à partir des planches descriptives situées à la fin du document. Vérifiez si toutes les caractéristiques du champignon sont bien les mêmes.

Le jeune coprin chevelu, à l'état frais, peut être sauté, à feu vif, avec un peu de beurre et par petites quantités afin de permettre l'évaporation rapide de son eau. Très putrescible, il doit être consommé rapidement après la cueillette, si possible la journée même. On peut ralentir la décomposition du champignon en enlevant le pied dès sa récolte. Une fois que les lamelles commencent à se décomposer, il faut éviter de le manger.

Parmi les méthodes de conservation à employer, notons la dessiccation et la congélation. Les champignons peuvent se dessécher en tranchant le chapeau en fines lamelles. La meilleure technique de conservation pour les coprins nous semble être la congélation. Il est cependant essentiel de les faire revenir dans du beurre avant de les congeler. Au moment d'utiliser les coprins congelés, il faut les dégeler dans un beurre blond chaud (comme tous les champignons congelés), jeter le surplus d'eau puis continuer la cuisson; ou encore, les mettre congelés dans une sauce à spaghetti en cuisson.

FICHE D'IDENTIFICATION

Nom commun : **COPRIN CHEVELU**

Apparence générale du champignon (planches 1 à 7) _49. agaric_
(champignon à lamelles) en forme de parasol avec anneau.

Forme du chapeau **(planche 8)** _70. globuleuse   71. glanduliforme_
72. cylindrique puis 74. campanulée (à maturité)

Texture du chapeau **(planche 9)** _93. méchuleuse   ou 94. à écailles_
retroussées

Marge du chapeau **(planche 10)** _116. sillonnée_

Mode d'attachement des lamelles ou des tubes au pied **(planche 11)** _____
134. lamelles libres

Profil des lamelles et forme des lamellules **(planche 12)** _150. lamelles_
ascendantes

Distribution et forme des lamelles ou des tubes **(planches 13A - 13B)** _____
172. lamelles très serrées

Position et forme du pied **(planche 14)** _192. pied cylindrique_

Texture du pied **(planches 15A - 15B)** _234. centre creux_
210. surface lisse ou 221. surface fibrilleuse (un peu)

Description de la volve **(planche 16)** _____

Description de l'anneau **(planches 17A - 17B)** _266. anneau simple et_
mobile

Description de la chair **(planche 18)** _300. mince_

Remarques : _____
Couleur :   du chapeau : _blanc_
            du pied : _blanc_
            des lamelles ou des tubes : _blanc, rose puis noir (à maturité)_
            des spores : _noir_
            de la chair : _blanc_
autres informations pertinentes : _____
habitat : _pelouse, orée des bois_

8.2 MARASME D'ORÉADE

Marasmus oreades Bolt. ex. Fr.

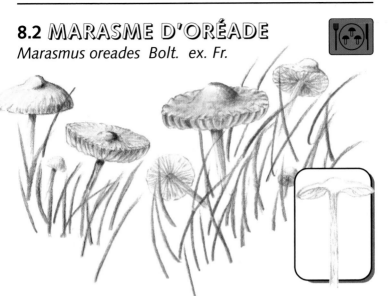

Les marasmes sont de petits champignons caractérisés par leur pied fibreux, cartilagineux (c'est-à-dire qui ne casse pas à la torsion), leur chair imputrescible (c'est-à-dire qui se dessèche au lieu de pourrir) et leur sporée blanche. Parmi les marasmes, le marasme d'oréade (faux-mousseron) est reconnu pour son goût de noisette.

Ce champignon, très commun tout au cours de la saison, se développe sur les pelouses et dans les champs où il pousse en cercles ou en demi-cercles appelés «ronds de sorcières» **(fig 7)**. Cette disposition particulière permet de les distinguer des autres petits marasmes ou collybies.

À ceux qui voudraient se débarrasser des ronds de sorcière poussant sur leur gazon, il faut dire que c'est assez difficile. Comme ces ronds sont dus à des champignons, il faut les traiter avec un fongicide à tous les 15 jours (voir votre pépiniériste). Il faut en mettre sur les cercles et au pourtour jusqu'à disparition. Mais si le problème persiste, il faudra enlever jusqu'à 20 cm de sol pour s'assurer que toutes les ramifications sont disparues.

Nous pensons que la meilleure solution est de cueillir ces champignons à saveur de noisette et, par le fait même, vous protégerez votre environnement. Pour obtenir de meilleures récoltes, gardez votre gazon à 10 cm de hauteur, ce qui favorisera l'humidité.

Il faut apprendre à bien le différencier des autres qui croissent dans le même habitat, notamment les petits clitocybes vénéneux tel le **clitocybe sudorifère** (ils ne poussent pas en ronds de sorcières).

clitocybe sudorifère

Figure 7 : Marasmes d'oréade poussant en «rond de sorcières».

Le marasme d'oréade peut atteindre une hauteur de 3 à 7 cm et un diamètre de 2 à 5 cm. On le reconnaît à sa couleur crème ou brun pâle, à ses lamelles épaisses et espacées, à son long pied dur et tenace, à sa chair imputrescible et à son odeur cyanique.

 Seul le chapeau du marasme d'oréade est considéré comme excellent, le pied étant fibreux et ferme. À l'état cru, il est un excitant léger, sans doute du fait qu'il contient des traces d'acide cyanhydrique. Cuit, il a une saveur délicate. En sauce, il est conseillé pour accompagnez du poisson et même du steak. Mais c'est surtout séché qu'il gagne en saveur. Au goût de noisette, il peut servir d'amuse-geule. Dégageant un parfum très agréable, il peut également servir d'assaisonnement. Certains spécimens matures peuvent être indigestes.

Les marasmes d'oréade séchés mis en poudre et mélangés au beurre donnent aux biscottes un goût savoureux de noisette; ou encore on peut les saupoudrer sur un filet de poisson.

Vous trouverez, à la page suivante, la fiche d'identification du marasme d'oréade. Vérifiez si tous les critères d'identification sont présents sur le spécimen récolté.

FICHE D'IDENTIFICATION

Nom commun : **MARASME D'ORÉADE**

Apparence générale du champignon (planches 1 à 7) _47. agaric_
(champignon à lamelles) en forme de parasol

Forme du chapeau **(planche 8)** _74. campanulée 75. convexe puis_
77. étalée 78. mamelonnée

Texture du chapeau **(planche 9)** _91. lisse_

Marge du chapeau **(planche 10)** _111. ondulée 113. striée ou_
116.sillonnée 119. incurvée 120. étalée puis 121. retroussée (à maturité)

Mode d'attachement des lamelles ou des tubes au pied **(planche 11)** _____
134. lamelles libres

Profil des lamelles et forme des lamellules **(planche 12)** _153. lamelles_
ventrues

Distribution et forme des lamelles ou des tubes **(planches 13A - 13B)** _____
170. lamelles espacées 176. lamelles espacées de lamellules

Position et forme du pied **(planche 14)** _192. pied cylindrique_

Texture du pied **(planches 15A - 15B)** _231. centre plein 210. surface_
lisse

Description de la volve **(planche 16)** _____

Description de l'anneau **(planches 17A - 17B)** _____

Description de la chair **(planche 18)** _300. mince (en bordure)_
301. épaisse (au centre)

Remarques : _____

Couleur : du chapeau : _crème, jaune rouge à brun pâle_

du pied : _jaune rouge, brun pâle à brun foncé_

des lamelles ou des tubes : _blanc, crème ou brun pâle_

des spores : _blanc_

de la chair : _blanc_

autres informations pertinentes : _____

habitat : _pelouse_

CHAMPIGNONS DE MILIEUX BOISÉS

Nous savons que l'habitat par excellence pour les champignons est la forêt. Elle cache une multitude d'espèces ayant des formes les plus variées. Parmi celles-ci, nous avons choisi six espèces assez communes et faciles à reconnaître :

les hypomyces
Hypomices lactifluorum Schw. Tul.

la morille conique
Morchella cornica Pers.

le bolet comestible
Boletus edulis Fr.

la pleurote en forme d'huître
Pleurotus ostreatus Jacquin ex. Fr. Quélet

le lactaire délicieux
Lactarius deliciosus L. ex. Fr.

la vesse-de-loup géante
Lycoperdon giganteum Batsch. ex. Pers.

8.3 HYPOMYCES

Hypomyces lactifluorum Schw. Tul.

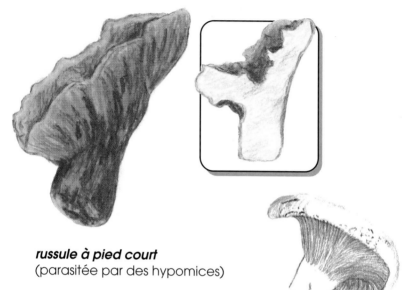

russule à pied court
(parasitée par des hypomices)

russule à pied court

L'hypomyces correspond à un champignon microscopique qui en parasite un autre, telle la russule à pied court (*russula brevipes*) très bon comestible et peut-être d'autres russules et certains lactaires.

Le champignon attaqué se difforme, ses lamelles disparaissent progressivement et finalement, le champignon est entouré d'une croûte assez épaisse de couleur jaune orange à rouge homard et marquée de petits points très serrés où sont logées les spores. Les champignons parasités poussent isolément, et parfois, en colonies nombreuses à l'orée des bois, dans les clairières, les bosquets et les bois mixtes, préférant les terrains sablonneux. C'est un champignon intéressant car il est rarement envahi par les insectes

Très apprécié, il importe de vérifier si la chair est en bon état et si elle n'est pas âcre ou brûlante au goûter. Le champignon parasité peut être congelé. Coupé en tranches et bien rôti dans le beurre, ce champignon a le goût des patates rissolées, mêlé d'un goût de champignon de couche. Il n'est pas rare qu'il pèse 500 gr. Ce champignon mis en lamelles se sèche très bien sur le dessus du réfrigérateur.

FICHE D'IDENTIFICATION

Nom commun : **HYPOMYCES**

Apparence générale du champignon (planches 1 à 7) _55. hypomyces_

Description de la chair (planche 18) _301. épaisse et 307. cassante_

Remarques : _____

Couleur :   du chapeau : _jaune orange à rouge homard_

du pied : _jaune orange à rouge homard_

des lamelles ou des tubes : _____

des spores : _blanc_

de la chair : _blanc_

autres informations pertinentes : _____

habitat : _sol bien drainé, bois mixte_

8.4 MORILLE CONIQUE
Morchella conica Pers.

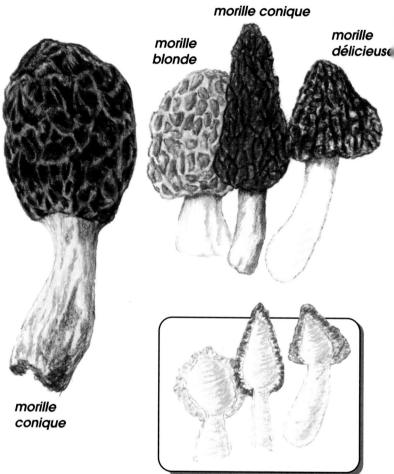

morille conique

morille
blonde

morille
délicieuse

morille
conique

Les morilles sont des champignons creux que l'on reconnaît facilement, car leur chapeau prend la forme d'une éponge fortement alvéolée. Toutes les morilles sont considérées comme d'excellents comestibles. Parmi celles-ci, nous trouvons la morille conique.

Au sud du Québec, la morille conique se rencontre occasionnellement. Elle apparaît très tôt, après la fonte des neiges, et ce, jusqu'à la mi-juin. Elle passe souvent inaperçue, étant donné sa couleur sombre et terne. Elle croît sur le sol, dans les bois de feuillus ou mixtes, souvent associée avec le peuplier baumier ou le peuplier faux-tremble.

Cette morille peut mesurer 5 à 10 cm de haut et 4 cm de large. On la reconnaît à son chapeau conique, brun jaunâtre, présentant des alvéoles allongées, séparées par des cloisons transversales, et à son pied fragile, blanchâtre ou crème. Comparativement à la morille comestible, au chapeau de couleur jaune ocre à brun jaunâtre, la morille conique possède un sillon bien marqué entre le chapeau et le pied (voir fiche d'identification pour vérifier le type de champignon cueilli).

Ce champignon prend toute sa saveur après cuisson. Comme toutes les morilles, il faut bien la faire cuire, car elle peut occasionner des troubles gastro-intestinaux. Au dire des gourmets, c'est la meilleure des morilles. La morille comestible (blonde) et le morillon sont presque aussi bons et il faut bien les cuire aussi.

FICHE D'IDENTIFICATION

Nom commun : **MORILLE CONIQUE**

Apparence générale du champignon (planches 1 à 7) _12. morille à_
réceptacle en forme d'éponge (alvéolé)

Forme du chapeau **(planche 8)**

Texture du chapeau **(planche 9)**

Marge du chapeau **(planche 10)**

Mode d'attachement des lamelles ou des tubes au pied **(planche 11)**

Profil des lamelles et forme des lamellules **(planche 12)**

Distribution et forme des lamelles ou des tubes **(planches 13A - 13B)**

Position et forme du pied **(planche 14)** _192. pied cylindrique 195. pied_
claviforme (quelquefois) 200. bulbe déformé

Texture du pied **(planches 15A - 15B)** _234. centre creux 221. surface_
fibrilleuse 210. surface lisse

Description de la volve **(planche 16)**

Description de l'anneau **(planches 17A - 17B)**

Description de la chair **(planche 18)** _300. mince et 307. cassante_

Remarques :

Couleur :   du chapeau : _brun à brun jaunâtre_

du pied : _crème_

des lamelles ou des tubes :

des spores : _ocre_

de la chair : _blanc, brun (au niveau des alvéoles)_

autres informations pertinentes :

habitat : _parterre, bois mixte_

92

8.4 BOLET COMESTIBLE

Boletus edulis Fr.

La famille des bolets est recommandée pour les débutants en mycologie. Au Québec, il existe 135 espèces connues, aucune n'est dangereuse. Certaines sont cependant indigestes, mais le **bolet amer** (*boletus felleus*) l'est atrocement. Les bolets à chair tendre, poussant principalement sur le sol, prennent souvent la forme d'un parasol. Le pied est très développé et souvent renflé à la base. Sous le chapeau, on observe de petits trous correspondant à l'extrémité des tubes cylindriques. Généralement, ces tubes se détachent facilement de la chair du chapeau. C'est à l'intérieur de ces tubes que sont logées les spores (semences).

Certains bolets européens, tel le **bolet à beau pied,** sont très amers et classés parmi les espèces non comestibles comme le bolet amer du Québec. En Europe, le **bolet de satan** est vénéneux. Le **bolet lupinus** semble très douteux et certainement toxique. Ces deux bolets n'ont pas été trouvés au Québec.

*bolet
amer*

*bolet
de satan*

*bolet à
beau pied*

*bolet
français*

Parmi les espèces de cette famille, le bolet comestible (cèpe de Bordeaux) est considéré comme excellent. Chaque année, dans le massif central (France), il se cueille près de 10 tonnes de cêpes de Bordeaux. On le rencontre souvent à l'orée ou dans les forêts de conifères et dans les anciens pâturages. Il croît en été et en automne près ou sous les conifères. Il peut atteindre 12 à 20 cm de haut. Certaines années, il pousse en surabondance, et certaines autres, il est introuvable, même si toutes les conditions paraissent favorables à sa croissance.

En général, on le reconnaît à son chapeau jaune et brun roux (6 à 25 cm de diamètre), à sa surface visqueuse par temps humide, à ses pores d'abord blancs, puis jaunes et verdâtres, au réseau de fibres qui couvre le haut du pied, à sa chair épaisse, rougeâtre sous la cuticule et immuable. Il peut être confondu au bolet amer; ce dernier possède cependant des pores roses, un pied couvert d'un réseau de fibres foncées sur un fond pâle (à l'inverse du bolet comestible) et, principalement, une chair carrément immangeable mais non vénéneuse (voir fiche d'identification pour confirmer le champignon cueilli).

Excellent comestible, le bolet comestible est malheureusement très souvent envahi par les larves d'insectes. Il se consomme frais ou desséché. C'est sous la forme séchée que son parfum est le plus fort et qu'il garnit le mieux les sauces. Il peut également être consommé cuit sur le *grill* en brochettes, ou dans une poêle, en tranches avec une petite quantité de beurre. Comme tous les bolets, lorsque la saison est arrivée, il est recommandé de faire la tournée des endroits où les bolets poussent pour trouver les spécimens les plus frais et les moins parasités. Il est avantageux de découper les champignons à l'endroit même de leur pousse afin de permettre la repousse les années subséquentes et, du même coup, d'apporter à la maison une récolte propre. Il va sans dire que chaque espèce de bolet doit être séparée, dans des sacs de papier, afin de ne pas mélanger les espèces.

Certains bolets peuvent atteindre une taille respectable, raison de plus pour s'intéresser aux bolets. (Dans ce cas-ci le chapeau fait 20 cm de diamètre) .

FICHE D'IDENTIFICATION

Nom commun : **BOLET COMESTIBLE**

Apparence générale du champignon (planches 1 à 7) _41. bolet en forme de parasol_

Forme du chapeau **(planche 8)** _75. convexe 77. étalée (rarement)_

Texture du chapeau **(planche 9)** _91. lisse 97. ridée (parfois)_

Marge du chapeau **(planche 10)** _110. lisse 119. incurvée 120. étalée puis 121. retroussée_

Mode d'attachement des lamelles ou des tubes au pied **(planche 11)** _134. tubes libres 133. tubes adnés ou 136. tubes sinués_

Profil des lamelles et forme des lamellules **(planche 12)** _____

Distribution et forme des lamelles ou des tubes **(planches 13A - 13B)** _181. pores des tubes ronds_

Position et forme du pied **(planche 14)** _200. pied bulbeux 195. pied claviforme puis 192. pied cylindrique (à maturité)_

Texture du pied **(planches 15A - 15B)** _231. centre plein 224. surface réticulée_

Description de la volve **(planche 16)** _____

Description de l'anneau **(planches 17A - 17B)** _____

Description de la chair **(planche 18)** _301. épaisse 303. ferme ou 302. molle (à maturité)_

Remarques : _____
Couleur : du chapeau : _brun jaune à brun roux_
du pied : _jaune pâle à brun pâle_
des lamelles ou des tubes : _blanc, jaune, jaune vert puis vert pâle_
des spores : _brun vert_
de la chair : _blanc, crème ou jaune pâle_
autres informations pertinentes : _____
habitat : _parterre, bois mixte_

8. PLEUROTE EN FORME D'HUÎTRE
Pleurotus ostreatus (Jacquin ex. Fr.) Quelet

Presque tous les pleurotes se développent sur les arbres. Le mot «pleurote» vient du grec «pleuron» qui signifie «côté», se référant ainsi à l'insertion du pied sur le côté du chapeau. En plus de leur pied latéral souvent peu visible, cette famille de champignons se caractérise par la présence de lamelles fortement décurrentes **(planche 11, no 138)** et d'une spore blanche. Parmi les pleurotes, le pleurote en forme d'huître est l'espèce la plus connue.

Il pousse en touffes sur le tronc des arbres blessés ou morts au cours de l'été et à l'automne. Ces amas sont formés de chapeaux, en forme de coquilles et de couleur blanc jaune à gris brun, superposés les uns aux autres. Se développant sur les essences feuillues, il préfère les bois tendres. Aucun pleurote n'est dangereux. Le pleurote de l'orme, le pleurote étalé et le pleurote tardif sont aussi de bons comestibles.

Pour confirmer l'espèce des spécimens rencontrés, veuillez compléter la fiche d'identification située à la page suivante. Cet exercice vous permettra de bien décrire les champignons. Vous trouverez à la fin du chapitre les numéros de référence pour vérification.

Le pleurote en forme d'huître est agréable au goût, à condition de le récolter jeune. Les spécimens âgés sont souvent parasités et prennent une odeur désagréable, leur chair devenant tenace et indigeste. Ce champignon demande un temps de cuisson plus élevé que le champignon de couche (champignon que l'on achète).

FICHE D'IDENTIFICATION

Nom commun : **PLEUROTE EN FORME D'HUÎTRE**

Apparence générale du champignon (planches 1 à 7) _40. agaric en forme de console_

Forme du chapeau **(planche 8)** _75. convexe 77. plat ou étalée 81. entonnoir_

Texture du chapeau **(planche 9)** _91. lisse_

Marge du chapeau **(planche 10)** _110. lisse ou régulier 111. ondulée 118. enroulée 120. étalée 121. retroussée_

Mode d'attachement des lamelles ou des tubes au pied **(planche 11)** _131. longuement récurrentes_

Profil des lamelles et forme des lamellules **(planche 12)** _152. lamelles droites_

Distribution et forme des lamelles ou des tubes **(planches 13A - 13B)** _170. lamelles espacées 174. lamelles fourchues_

Position et forme du pied **(planche 14)** _190. latérale 191. excentrique_

Texture du pied **(planches 15A - 15B)** _210. lisse 224. réticulée 229. poilue 231. plein_

Description de la volve **(planche 16)**

Description de l'anneau **(planches 17A - 17B)**

Description de la chair **(planche 18)** _301. épaisse 303. ferme 304. tendre_

Remarques :

Couleur : du chapeau : _blanchâtre, fauve, gris olivâtre ou plus foncée_

du pied : _blanc_

des lamelles ou des tubes : _blanc ou crème_

des spores : _blanc_

de la chair : _blanc ou crème_

autres informations pertinentes :

habitat : _feuillus_

8.7 LACTAIRE DÉLICIEUX

Lactarius deliciosus L. ex. Fr.

La famille des lactaires regroupe des champignons de tailles et d'aspects variés. Souvent robustes et trapus, ils possèdent une chair granuleuse et cassante. Mais l'élément caractéristique de la famille est le liquide (lait) qui s'écoule de leur chair à la cassure, d'où vient le nom «lactaire». Leur lait peut être transparent, blanc, jaunâtre, rouge ou orange. Parmi les lactaires, ceux qui ont un lait rouge ou orangé sont comestibles. Le plus connu de ces champignons est le lactaire délicieux, mais le lactaire des pins est très courant.

Les lactaires qui ont un lait rouge ou orangé sont : le lactaire délicieux, le lactaire des pins, le lactaire du sapin, le lactaire sanguin et le lactaire saumon.

Le lactaire délicieux pousse en groupes, dans les anciens pâturages, à l'orée ou dans les bois de conifères ou mixtes. Il apparaît sous les conifères, tels les pins, au cours de l'été et de l'automne. Il peut mesurer 6 à 10 cm de haut et 4 à 12 cm de large.

Le lactaire délicieux se caractérise, en plus, par son chapeau marqué de zones concentriques plus foncées, sa surface visqueuse par temps humide, ses lamelles arquées et fragiles, son pied raide, cassant et creux ou farci d'une moelle blanche présentant de petites fossettes, et finalement, sa chair blanche, un peu dure et granuleuse, devenant orangée.

Veuillez vous servir de la fiche d'identification située à la page suivante pour décrire les spécimens que vous croyez être des lactaires délicieux. Vous trouverez à la fin de ce chapitre la liste des numéros de référence pour vérification.

 Sans être un excellent comestible, son nom «délicieux» étant exagéré, ce lactaire est très mangeable. Les champignons cuits de façon prolongée, entre autres sur le *grill*, perdent leur saveur résineuse. On peut également les dégorger dans du sel et les confire dans le vinaigre. Il est à noter que leur ingestion colore les urines en rouge. Contrairement à la chair, le goût du lait est tout à fait doux.

FICHE D'IDENTIFICATION

Nom commun : **LACTAIRE DÉLICIEUX**

Apparence générale du champignon (planches 1 à 7) _47. agaric en forme de parasol_

Forme du chapeau **(planche 8)** _75. convexe 77 plat ou étalée 81. en entonnoir_

Texture du chapeau **(planche 9)** _91. lisse 105. zonée_

Marge du chapeau **(planche 10)** _118. enroulée 120. étalée_

Mode d'attachement des lamelles ou des tubes au pied **(planche 11)** _132. décurrents_

Profil des lamelles et forme des lamellules **(planche 12)** _152. lamelles droites_

Distribution et forme des lamelles ou des tubes **(planches 13A - 13B)** _171. lamelles serrées 176. lamelles espacées de lamellules_

Position et forme du pied **(planche 14)** _192. cylindrique_

Texture du pied **(planches 15A - 15B)** _233. farcie 234. creux_

Description de la volve **(planche 16)**

Description de l'anneau **(planches 17A - 17B)**

Description de la chair **(planche 18)** _301. épaisse 309. laiteuse_

Remarques :

Couleur : du chapeau : _jaune orange à orange, tachetée de vert à maturité_

du pied : _blanc_

des lamelles ou des tubes : _blanc, rose puis noir (à maturité)_

des spores : _noir_

de la chair : _blanc_

autres informations pertinentes :

habitat : _bois mixte_

8.8 VESSE-DE-LOUP GÉANTE

Lycoperdon giganteum Batsch. ex. Pers.

Qui ne connaît pas les vesses-de-loup ? On a tous un jour ou l'autre mis le pied sur des vesses-de-loup pour en faire sortir une poudre brunâtre. Cette poudre brunâtre est la semence (spore). Mais avant de contenir cette poudre, l'intérieur de la vesse-de-loup contenait une chair blanche lorsqu'elle était jeune.

On donne souvent le nom de champignon aux vesses-de-loup, mais il serait plus précis de dire que la vesse-de-loup est presque le fruit du champignon qui se situe dans la terre. Pour les besoins de la cause, nous les appellerons champignons.

À chaque année, à l'automne, dans différents journaux, on peut lire certains records de grosseur de la vesse-de-loup géante, qui peut atteindre un mètre de diamètre. D'après *Science et Vie Junior* (Nov. 1993), le record aurait été de 20 kg.

On peut voir sur la photo une vesse-de-loup de 1,5 kg.

La vesse-de-loup géante, avec sa chair blanche, est délicieuse en tranches panées parsemées de persil ou encore frites. Certaines vesses-de-loup dégagent des odeurs désagréables, mais perdent leurs odeurs lors de la cuisson.

On retrouve les vesses-de-loup géantes dans les pâturages, les haies et les bois clairsemés, les autres vesses-de-loup dans les bois de conifères, de feuillus et dans les prés, de l'été à l'automne.

105

Il existe plusieurs types de vesses-de-loup poussant dans les bois de feuillus ou de conifères **(vesse-de-loup en forme de poire).** Tous ces champignons doivent avoir la chair intérieure d'un blanc uniforme pour être comestibles.

VESSE-DE-LOUP EN FORME DE POIRE
Lycoperdon piriforme
Schaeffer ex. Pers.

Il est préférable de mélanger la vesse-de-loup en forme (poire à d'autres champignons, a cause de son odeur. Certains n'aimeront pas la texture de guimauve de ces champignons. Il n'est pas recommandé de les apprêter en sauce.

BOVISTE EN BOULE
Bovista pila

Le **boviste en boule** est plus petit que la vesse-de-loup géante. Très tôt, cette boule devient libre et roule sur le sol en semant sa spore. Ce champignon est comestible lorsque sa chair est blanche.

SCLÉRODERME ORANGÉ
Sclérodermema aurantium Pers.

Un autre champignon **(scléroderme vulgaire)** est souvent pris pour une vesse-de-loup. Pour le différencier, il suffit de le couper en deux pour voir sa chair noire. Les vesses-de-loup ont la chair blanche lorsqu'elles sont jeunes. Le scléroderme peut être toxique lorsqu'il est consommé en grande quantité. Dans ce cas, il provoque des sueurs, des nausées et même des évanouissements. En Europe, il est souvent pris pour une truffe.

FICHE D'IDENTIFICATION

Nom commun : **VESSE-DE-LOUP GÉANTE**

Apparence générale du champignon (planches 1 à 7) _____

Forme du chapeau **(planche 8)** _____ *70. globuleux 79. déprimé*

Texture du chapeau **(planche 9)** _____ *91. lisse 100. craquelée*

Description de la chair **(planche 18)** _____ *303. ferme 302. molle*

Remarques : _____

Couleur : du chapeau : *blanc* _____

du pied : _____

des lamelles ou des tubes : _____

des spores : _____

de la chair : *blanche puis jaunâtre* _____

autres informations pertinentes : _____

habitat : *parterre* _____

9. CONSERVATION DES CHAMPIGNONS

Si les conditions atmosphériques favorisent la croissance des champignons, vous en trouverez des quantités importantes. Alors, il vous sera impossible de tous les consommer à l'état frais. Il faudra donc en préserver. Il existe une variété de méthodes :

- ❏ la dessiccation;
- ❏ la congélation;
- ❏ la stérilisation;
- ❏ la déshydratation par le froid;
- ❏ le marinage et la conservation dans l'huile;
- ❏ la salaison;
- ❏ les autres procédés.

9.1 LA DESSICCATION (SÉCHAGE)

Cette méthode de conservation est la plus simple. Elle consiste à éliminer une partie importante de l'eau contenue dans les champignons. Ces derniers peuvent perdre plus de 80% de leur poids et occupent ainsi un espace minimum. De plus, la saveur de certaines espèces en est augmentée, notamment chez le **bolet comestible** (cèpe de Bordeaux), le **marasme d'oréade** (faux mousseron) à saveur de noisette, le **marasme échalote** au goût d'ail et la **chanterelle corne d'abondance** (trompette de la mort), savoureuse et parfumée.

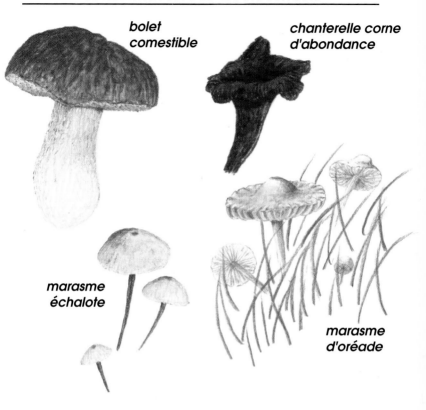

bolet
comestible

chanterelle corne
d'abondance

marasme
échalote

marasme
d'oréade

Les champignons peuvent être séchés de différentes façons :

❑ En **les enfilant** en forme de chapelet à l'aide d'une aiguille et en suspendant les fils en un endroit sec (ensoleillé) et aéré.

❑ Sur un grillage que l'on place **à l'extérieur** au soleil ou à l'intérieur suspendu près d'une source de chaleur quelconque (un calorifère, une chaufferette électrique, au-dessus d'un réfrigérateur, à l'entrée d'un four tiède ou à tout autre endroit aéré).

109

❏ Dans une **armoire chauffante** munie :

- d'une source de chaleur douce (ex. : ampoule électrique)
- d'une ventilation électrique
- de trous d'aération à sa base et son sommet;
- de grillages superposés.

Il est à noter que les champignons à chair épaisse et charnue (comme les bolets et certains tricholomes) doivent être coupés en tranches avant d'être séchés.

Afin d'assurer une dessiccation uniforme et rapide, les champignons sont espacés les uns des autres et retournés régulièrement. Pour terminer la dessication, il est conseillé de déposer les champignons dans le four afin de les dessécher complètement et de tuer les œufs de larves qui pourraient être présents dans la chair.

Pour vérifier si le champignon est bien séché, il faut que le morceau soit cassant; s'il est flexible, c'est qu'il est encore humide, donc il faut poursuivre le séchage.

Une fois séchés, les champignons peuvent être déposés dans des bocaux en verre hermétique, préalablement lavés, essuyés et mis au four, en s'assurant qu'aucune humidité ne demeure. Ils se conserveront ainsi longtemps.

Au moment de la cuisson, les champignons séchés devront être trempés, au préalable, dans de l'eau tiède et salée pendant un quart d'heure. Ils seront ensuite cuits comme s'ils étaient frais.

Il est à noter que certains champignons séchés peuvent être réduits en poudre qui servira d'assaisonnements et rehaussera le goût de vos plats. Le **bolet poivré**, le **lactaire poivré** ou le **marasme échalote** peuvent remplacer le poivre ou la poudre d'ail. Le marasme à odeur d'ail doit cependant être utilisé en petite quantité, car il est très fort. La **russule émétique** a un goût extrêmement poivré et est un irritant très sévère pour l'estomac. Il est préférable de le considérer non comestible et de ne pas s'en servir comme condiment.

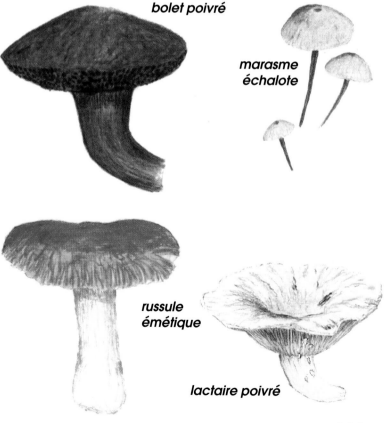

bolet poivré

marasme échalote

russule émétique

lactaire poivré

111

9.2 LA CONGÉLATION

Les champignons, tout comme les autres denrées alimentaires, peuvent être congelés. Avant de les congeler, vous devez les couper en tranches et les faire revenir rapidement dans du beurre blond. Ils doivent être bien enrobés de beurre sans être complètement cuits. Ils garderont ainsi leur consistance ferme. Une fois refroidis, on les met dans des sachets en plastique que l'on ferme après en avoir chassé l'air. Au moment venu, les champignons seront cuits dans du beurre blond, sans décongélation préalable.

9.3 LA STÉRILISATION

On peut mettre en conserve une bonne partie de ses récoltes. Le procédé consiste à :

❏ Faire **bouillir** les champignons 20 minutes dans de l'eau salée (25 grammes de gros sel par litre d'eau). N.B. Ne pas utiliser de sel fin de table puisqu'il contient de l'iode qui noircit certaines espèces de champignons.

❏ **Égoutter** dans une passoire.

❏ **Rafraîchir** dans l'eau froide.

❏ **Placer** dans des bocaux stérilisés spécialement conçus pour la mise en conserve.

❏ **Remplir** ces bocaux de l'eau qui a servi à faire bouillir les champignons.

❏ **Déposer** les couvercles sur les pots sans les visser.

❏ **Stériliser** au four pendant 3 à 4 heures, à l'autoclave (comme une cocotte minute) pendant 20 minutes ou dans une casserole pleine d'eau pendant 12 heures.

La plupart des espèces, surtout les champignons charnus (ex. : **chanterelles**), se prêtent bien à la stérilisation.

9.4 LA DÉSHYDRATATION PAR LE FROID

Pour ceux qui ont fait une grosse récolte de morilles ou de cèpes de Bordeaux et qui ne voudraient pas perdre la fine saveur de ces champignons, ils pourraient utiliser la technique de déshydratation par le froid expliquée à la page 66. Pour utiliser les champignons, il faut les réhydrater. Cette méthode demande un peu de patience.

9.5 LE MARINAGE ET LA CONSERVATION DANS L'HUILE

Marinés, les champignons peuvent servir de hors-d'oeuvre ou de condiments. Il suffit de :

❏ Faire **bouillir** pendant 5 minutes du vinaigre de vin assaisonné à votre goût (oignon, laurier, ail, fines herbes, piment, poivre, etc...).

❏ **Blanchir** les champignons en les plongeant pendant 3 minutes dans de l'eau bouillante salée.

❏ Passer à **l'eau froide** et égoutter à l'aide d'une passoire.

❑ Déposer dans des bocaux de verre.

❑ Recouvrir d'huile (d'arachide) ou de vinaigrette.

De cette manière, on peut déguster des **coprins,** des **bolets,** des **russules,** des **tricholomes équestres,** etc. Il faut cependant les consommer assez rapidement; ils se conservent au réfrigérateur environ un mois après le marinage, à moins de les avoir stérilisés.

Lorsque les champignons de couche sont en promotion dans les épiceries, profitez-en pour en mariner ou en sécher.

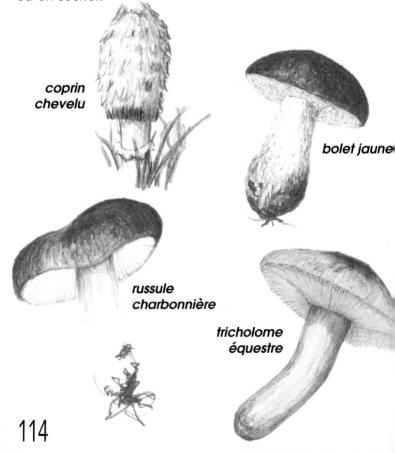

coprin chevelu

bolet jaune

russule charbonnière

tricholome équestre

114

9.6 LA SALAISON

Les Russes, entre autres, conservent dans le sel marin certaines espèces de champignons comme les **lactaires**, les **armillaires**, les **cortinaires**, les **russules**, les **clavaires,** etc. Pour de petites quantités de champignons, la méthode peut être la suivante :

❑ **Saupoudrer** les champignons d'une couche de gros sel.

❑ Laisser **dégorger** pendant 24 heures.

❑ **Retirer** l'eau de dégorgement.

❑ **Placer** dans un bocal, en couches bien tassées et espacées par des lits de sel (la solution saline doit toujours être saturée en vérifiant si les grains de sel déposés dans le fond du bocal restent entiers).

Ces champignons sont consommés après 3 ou 4 mois de maturation. À ce moment, ils sont dessalés à l'eau froide pendant plusieurs heures. On peut également utiliser la méthode suivante :

❑ **Couper** en morceaux les champignons préalablement blanchis.

❑ **Placer** les morceaux dans un bocal.

❑ **Verser** une solution salée (150 gr. de sel par litre).

❑ **Ajouter** une couche d'huile pour éviter les fermentations.

À noter que les champignons en saumure perdent leur saveur s'ils sont utilisés comme hors-d'oeuvre.

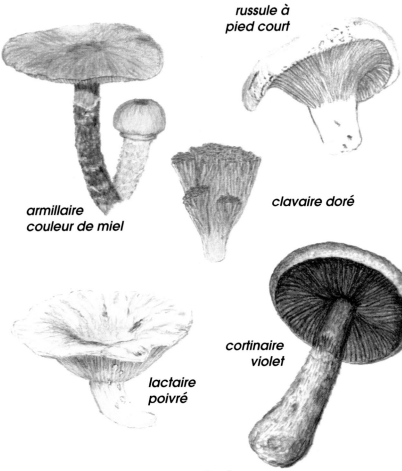

russule à
pied court

clavaire doré

armillaire
couleur de miel

cortinaire
violet

lactaire
poivré

9.7 LES AUTRES PROCÉDÉS

Il existe des recettes pour conserver les champignons dans divers solides ou liquides (graisse, sucre, alcool, vin aromatisé, eau-de-vie, cognac). Quelle que soit la méthode utilisée, soyez sûr qu'il sera toujours agréable de manger, au cours de l'hiver, les champignons que vous avez cueillis l'été.

10. QUELQUES IDÉES DE RECETTES

Voici quelques recettes faciles à réaliser et qui vous permettront d'apprécier encore plus les différents types de champignons récoltés :

❏ **Entrée de coprins chevelus**

❏ **Escalopes de perdrix aux morilles et aux atocas sauvages**

❏ **Omelette aux marasmes d'oréade**

❏ **Sauce aux bolets sur truite des ruisseaux**

❏ **Salade de fruits avec pleurotes au sirop d'érable**

Une utilisation trop abondante de sel et d'épices n'est pas recommandée car cela risquerait de masquer le goût délicat des champignons.

ENTRÉE DE COPRINS CHEVELUS

(France Dallaire) Cercle des mycologues du Saguenay inc.
Pour 4 personnes

INGRÉDIENTS

10 chapeaux de coprins chevelus
10 pieds de coprins chevelus hachés finement
10 tranches de saumon fumé
2 échalotes hachés
1/4 de tasse de mie de pain
3 c.à.table d`huile de carthane
Sel, poivre, estragon
fromage Gruyère à gratiner

PRÉPARATION

Cueillir de jeunes coprins bien blancs.

Cuire dans l`huile les échalotes et les pieds de coprins.

Retirer du feu, ajouter la mie de pain, sel et poivre, bien mélanger.

Farcir les chapeaux de coprins puis les enrouler avec la tranche de saumon fumé.

Parsemer de fromage.

Déposer dans un plat allant au four et couvrir le tout.

Cuire au four à 350o pendant 15 à 20 minutes.

Servir sur un nid de salade d`épinards

Remarque :
Il est déconseillé d'utiliser le coprin noir d'encre puisqu'il peut causer une intoxication après l'absorption d'une boisson alcoolisée.

ESCALOPES DE PERDRIX AUX MORILLES ET ATOCAS SAUVAGES
(Luce Dufour et France Dallaire)
Cercle des mycologues du Saguenay inc.
Pour 4 personnes

INGRÉDIENTS
4 escalopes de perdrix ou poulet
100 gr. crème 35%
1 gousse d`ail

119

1/2 verre de porto
50 gr. farine de blé entier
4 c.à.soupe d`huile d`olive
80 gr. de beurre
1/4 de tasse d`atocas ou canneberges sauvages
15 morilles coniques ou autres
Noix de muscade, sel, poivre

PRÉPARATION

Enfariner les escalopes avec la farine, saler et poivrer. Saisir dans la demie de beurre et la demie d`huile d`olive et mettre de côté.

Cuire 5 minutes avec le reste d`huile et beurre les champignons et l`ail.

Muscader et ajouter le porto, la crème et les atocas.

Remettre les escalopes dans le mélange à la crème, cuire 30 minutes à feu très doux et couvrir.

Servir avec un mélange de riz sauvage et blanc, arroser de sauce.

OMELETTE AUX MARASMES D'ORÉADE
(Yvon Leclerc)
Pour 4 personnes

INGRÉDIENTS
250 ml (1 tasse) de marasmes séchés (saveur de noisette)
250 ml (1 tasse) de cidre sec
8 œufs
Sel et poivre

Photographie Yvon Leclerc

PRÉPARATION

Placer les marasmes séchés dans un plat.

Ajouter le cidre sec.

Laisser gonfler et se réhydrater les champignons environ 15 minutes.

Battre les œufs pour bien mélanger les blancs et les jaunes.

Saler et poivrer les œufs.

Ajouter les champignons et le cidre aux œufs battus.

Faire fondre du beurre dans une poêle.

Verser la préparation et laisser cuire à feu moyen.

Remarques :

Si désiré, couvrir l'omelette de tranches de fromage blanc et assaisonner de paprika et de persil ou ciboulette.

Servir avec un verre de cidre sec.

SAUCE AUX BOLETS
(Yvon Leclerc)
Pour 4 personnes

INGRÉDIENTS

4 truites de ruisseau
125 ml (1/2 tasse) de vin
500 ml (2 tasses) de crème (35%)
2 échalotes (ciboulette ou ail des bois)
Sel et poivre
250 ml (1 tasse) de bolets

PRÉPARATION

Faire cuire les truites de ruisseau.

Couper les bolets en tranches.

Déglacer, avec le vin, la poêle qui a servi à faire cuire la viande.

Laisser évaporer partiellement.

Ajouter la crème et l'échalote (ou ail des bois).

Incorporer les champignons tranchés.

Saler et poivrer.

Laisser mijoter jusqu'à consistance voulue.

Verser sur les petites truites préalablement cuites dans un poêlon avec du beurre et des oignons. Vous ne servez pas les oignons avec les truites.

Remarque :
Adapter la sauce en fonction de la saveur du champignon utilisé; par exemple, le marasme d'oréade, au goût de noisette sur une entrecôte d'agneau.

SALADE DE FRUITS AVEC PLEUROTES AU SIROP D'ÉRABLE
(Yvon Leclerc)
Pour 4 personnes

INGRÉDIENTS

1,6 lb (600 g) de pleurotes
11/2 tasse (240 ml) de sirop d'érable
1 orange
1 poire
1 pomme
100 gr. de raisins de Corinthe
1/2 c.à.thé de marasme d'oréade séché (poudre)
Crème glacée à la vanille

PRÉPARATION

Nettoyer les pleurotes sans les laver si possible.

Placer le sirop d'érable dans une casserole et amener à ébullition

Fermer le feu.

Mettre dans la casserole les pleurotes déjà coupés en lamelles de 1 cm d'épaisseur.

Laisser tremper 10 minutes.

Préparer les fruits en cubes de 1 cm de grosseur.

Préparer l'orange en cosses.

Ajouter aux pleurotes les fruits en remuant le mélange.

Laiser reposer 10 minutes.

Servir accompagné d'une crème glacée à la vanille.

Mettre en poudre les mrasmes d'oréade séchés.

Saupoudrer sur la crème glacée.

Remarque :
Servir avec un vin blanc très sec qui combattra la suavité du plat.

11. CULTURE DES CHAMPIGNONS

Une vingtaine de champignons sont particulièrement recherchés pour leur chair. Cependant, plusieurs de ces champignons vivent en symbiose, c'est-à-dire en étroite relation avec un autre organisme, habituellement des végétaux supérieurs. Or, il est très difficile de recréer artificiellement de telles conditions. Selon M. Ola'h, de l'Université Laval, leur culture pourrait être possible, en théorie, mais les connaissances acquises actuellement sont insuffisantes pour que cela puisse être envisagé.

La culture des champignons pourrait être divisée en 2 groupes : la culture sur les bûches de bois et les autres. Dans le premier groupe, on retrouve le pleurote en forme d'huître, la pholiote changeante, le collybie à pied velouté et le shii-take; dans le deuxième groupe, le strophaire de culture, le champignon de Paris et le coprin chevelu.

Nous pouvons nous demander pourquoi ne cultive-t-on pas de chanterelles ou de bolets comestibles? Pourtant, ce serait payant. C'est que ces espèces et leur environnement sont mal connus de la communauté scientifique; mais si on parvenait un jour à les cultiver en abondance, ils perdraient leur valeur de rareté. Certains champignons font l'objet de recherches et de cultures.

- ❏ La **truffe** en France.
- ❏ Le **shii-take** en Chine et au Japon.

- ❏ Le **champignon de couche** en Europe, en Asie et en Amérique du Nord.
- ❏ Bientôt, peut-être, un **pleurote** québécois au Québec.

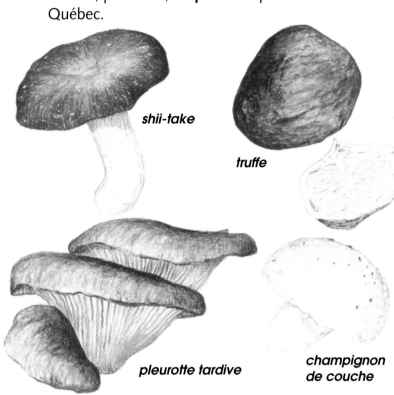

shii-take

truffe

pleurotte tardive

champignon de couche

En 1980, la production canadienne de champignons était d'environ 62 millions de livres, soit une augmentation de 13,4 % par rapport à 1979. Le Canada importait 2 699 millions de livres de champignons frais, soit 4,4 % de la productivité canadienne, sans omettre les 55 174 millions de livres de champignons en conserve. En 1983, la production canadienne s'élevait à 80 millions de livres.

11.1 CHAMPIGNON DE COUCHE

Culture dans des champignonnières

Le champignon de couche ou champignon de Paris cultivé depuis plus de deux siècles dans les galeries souterraines de la région parisienne a été introduit au Québec au début du siècle. D'une production artisanale, on est passé à la culture à grande échelle.

Cependant, la culture du champignon de couche dans des champignonnières est semée d'embûches. Cette espèce est fragile et capricieuse. Chauffées l'hiver, climatisées l'été, humidifiées, désinfectées, les champignonnières requièrent ainsi des installations coûteuses, et par conséquent, inaccessibles à la quasi-totalité des gens.

Parmi ceux qui veulent tout de même expérimenter ce type de culture, le ministère de l'Agriculture du Canada a publié des brochures faciles d'accès et offertes au public. De plus, certains livres spécia-lisés ont été publiés sur le sujet.

Culture en caissette

Si tout ce qui précède vous paraît compliqué, si vous ne disposez pas de cave et si vous êtes intéressé à cultiver des champignons de couche chez vous, vous avez quand même une solution : la culture en caissette.

Commandez à une maison spécialisée une caissette contenant du compost préensemencé. Le paquet que vous recevrez contient :

❏ la **caissette** (bac) et son compost;
❏ un **sac** de terreau;
❏ un **livre** d'instructions très détaillé.

Le terreau servira de terre de gobetage (recouvrant le compost) lorsque le blanc, préensemencé dans le compost, se sera réveillé et aura «fleuri» grâce à vos arrosages.

Deux à trois semaines après le gobetage, vos premiers champignons feront leur apparition; vous pourrez en récolter pendant plus d'un mois, rien de plus facile. Il est conseillé de :

❏ **Déposer** la caissette dans une pièce suffisamment tempérée.
❏ **Aérer** de temps à autre.
❏ **Pratiquer** des bassinages légers.
❏ **Suivre** à la lettre les instructions du fabricant.

La difficulté de cet achat est de s'assurer de la fraîcheur de la semence.

CONCLUSION

Pour terminer, nous donnons quelques conseils utiles pour le débutant :

❏ La **connaissance** des champignons ne s'acquiert que sur le terrain et, si possible, avec des mycologues avertis. Les promenades organisées par les sociétés mycologiques sont intéressantes. Pour connaître l'existence d'un club dans votre région, informez-vous au Conseil du Loisir Scientifique de votre région (voir le numéro de téléphone à la fin du document).

❏ Lors d'**une sortie** sur le terrain, contentez-vous d'apprendre à reconnaître une à deux espèces de champignons; vous progresserez ainsi rapidement et sûrement. Mieux vaut connaître une espèce parfaitement qu'une dizaine à peu près. Commencez par les espèces qui sont faciles à identifier et qui ne peuvent être confondues avec d'autres espèces dangereuses.

❏ L'**étude** des ouvrages spécialisés est nécessaire, mais n'accordez qu'une valeur relative aux photographies en couleur. Ce qui compte surtout, ce sont les caractèristiques physiques. Ainsi :

❑ **Cueillez** le champignon avec le pied entier en le déterrant avec précaution, car la volve (important critère d'identification chez certaines espèces) peut rester facilement dans le sol.

❑ Par mesure de **sécurité,** séparez les champignons non identifiés.

❑ Ne **ramassez jamais** de champignons ayant à la fois des lamelles blanches, un anneau autour du pied et une volve qui entoure la base du pied.

❑ Lorsque vous **doutez** de l'identification d'un champignon, jetez-le ou faites-le identifier par un spécialiste; ne vous fiez pas au premier venu que vous rencontrez en forêt et qui cueille des champignons.

❑ N'**achetez pas** ou ne consommez pas de champignons donnés par n'importe qui.

❑ Ne **cueillez jamais** de champignons trop avancés ou gelés.

❑ Si vous croyez avoir consommé un champignon **vénéneux** :

• Rendez-vous à l'**hôpital** le plus près ou contactez un centre de toxicologie.

• Recueillez toutes **les informations** et le matériel qui pourraient aider à diagnostiquer le genre d'intoxication.

BIBLIOGRAPHIE

AMMIRATI, JOSEPH F., HORGEN, PAUL A. et TRAQUAIR JAMES A. 1986. *Champignons vénéneux et nocifs du Canada,* Éditions Broquet.

BELIN, G. 1976. «Dossier champignons : Les reconnaître». *L'ami des Jardins* (septembre 1976), 46e année, no 626, p. 48-50.

BORDELEAU, C. 1978. *Comment apprêter les champignons sauvages,* Les Éditions La Presse Ltée. Montréal. 207 p.

BRASSARD, L. et M. BOUCHER. 1965. *Les plantes,* Centre de psychologie et de pédagogie, Montréal, 141 p.

CENTRE DE TOXICOLOGIE DU QUÉBEC. 1983. *Les champignons,* Sainte-Foy, Québec, 11 p.

CHAUMETON, H. et J.L. LAMAISON. 1977. *Les champignons : comment les reconnaître,* Solar, Paris, 96 p.

DARD. P. 1984. *Savoir préparer les champignons,* Idées Recettes. Créalivres, Paris, 93 p.

DEVIGNES, A. 1976. *Comment reconnaître 30 champignons comestibles,* Hatier, Paris, 91 p.

GARNWEIDNER, E. 1986. *Champignons vénéneux : comment les identifier avec certitude et les distinguer des champignons comestibles,* Miniguide Nathan tout terrain, Fernand Nathan Éditeur, Paris, 79 p.

GROVES, J.W. 1981. *Champignons comestibles et vénéneux du Canada,* Direction de la recherche. Agriculture Canada, Ottawa, 336 p.

JOLY, P. 1975. *Partez à la chasse aux champignons,* L'ami des Jardins (septembre 1975) 45e année, no. 615, p. 48-53.

LAFORGE, M., L. RAIL et V. SICARD. 1985. *La forêt derrière les arbres : initiation au milieu forestier québécois*, (Collection Hors sentier) Éditions Broquet Inc, Ottawa, 235 p.

LAROUCHE, C. 1978. *Des champignons à but lucratif*, Québec Science, (août 1978), p. 15-21.

LEBRUN, D et A.M. GUÉRINEAU. 1981. *Champignons du Québec et de l'est du Canada*, Éditions France-Amérique, Montréal, 288 p.

LELLEY, JAN. 1984. *Les champignons dans votre jardin*, Delachaux & Niestle, 134 p.

MOREAU, C. 1978. *Larousse des champignons*, Les Éditions Françaises inc, 327 p.

OLA'H, G.M. 1976. *Le pleurote québécois : comment cultiver ce champignon et le cuisiner*, Les Presses de l'Université Laval, Québec, 68 p.

PARMENTIER, J.L. 1973. *Atlas de botanique : les végétaux inférieurs ou cryptogames*, Grande Batelière, Paris, 107 p.

PEGLER, D.N. 1984. *Les champignons*, Guides loisirs Nathan, Fernand Nathan Éditeur, Paris, 168 p.

PERSSON, O. et H.K. PRINT. 1975. *Les champignons comestibles*, Fernand Nathan, Paris, 133 p.

POMERLEAU, R. 1982. *Guide pratique des principaux champignons du Québec*, Les Éditions La Presse Ltée, Montréal, 201 p.

POMERLEAU, R. 1980. *Flore des champignons au Québec*, Les Éditions La Presse Ltée, Montréal, 652 p.

POMERLEAU, R. 1977. *Champignons de l'Est du Canada et des États-Unis : comment reconnaître et utiliser les espèces comestibles*, Les Éditions La Presse Ltée, Montréal, 302 p.

SÉLECTION DU READER'S DIGEST. 1982. *Guide des champignons*. Sélection du Reader's Digest (Canada) Limitée, Montréal, 319 p.

SÉNÉCAL, D. 1972. *La conservation des champignons*, (Feuillets du club no 29), Les Éditions des Jeunes Naturalistes, Montréal, 3 p.

SVRCEK, M. 1976. *Les champignons*, Marabout, Verviers (Belgique), 191 p.

VIOLA S. 1976. *Connaissance des champignons*. Éditions Atlas,Paris, 285 p.

A N N E X E S

Planches descriptives :

- Apparence générale du champignon (planches 1 à 7).

- Traits distinctifs des parties du champignon (planche 8 à 17B) :

  ❏ forme du chapeau (planche 8)
  ❏ texture du chapeau (planche 9)
  ❏ marge du chapeau (planche 10)
  ❏ mode d'attachement des lamelles ou des tubes au pied (planche 11)
  ❏ profil des lamelles et forme des lamellules (planche 12)
  ❏ distribution et forme des lamelles ou des tubes (planche 13A - 13B)
  ❏ position et forme du pied (planche 14)
  ❏ texture du pied (planches 15A - 15B)
  ❏ description de la volve (planche 16)
  ❏ description de l'anneau (planches 17A - 17B)
  ❏ description de la chair (planche 18).

PLANCHE 1

APPARENCE GÉNÉRALE DU CHAMPIGNON

10. Gyromitre a réceptacle en forme de cervelle crépue (sillonné)

11. Phalle Impudique à réceptacle en forme de capuchon alvéolé

12. Morllles à réceptacle alvéolé

13. Verpe à réceptacle en forme de capuchon lisse ou plissé

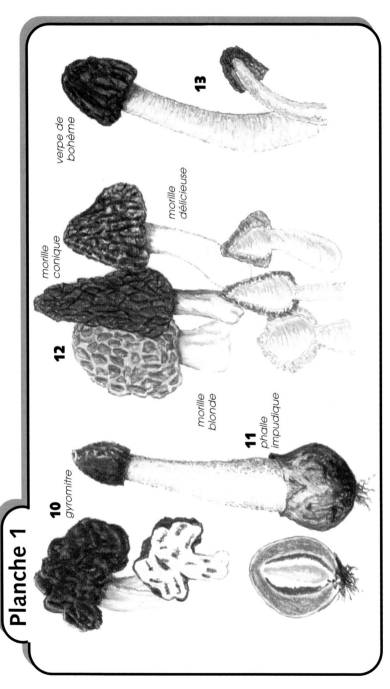

verpe de bohême

morille délicieuse

morille conique

13

12

morille blonde

phalle impudique

11

gyromitre

10

135

PLANCHE 2

APPARENCE GÉNÉRALE DU CHAMPIGNON

14. Helvelle à réceptacle en forme de selle

15. Helvelle ou morille mitrée à réceptacle alvéolé

16. Guépine en forme d'entonnoir fendu, d'oreille ou de spatule gélatineuse

17. Chanterelle en forme d'entonnoir et à surface inférieure du chapeau couverte de plis (fausses lamelles) épais et ramifiés

18. Craterelle en forme de trompette (fausses lamelles).

19. Chanterelle à chapeau déprimé et à surface inférieure couverte de plis (fausses lamelles) épais et ramifiés

20. Tremelle gélatineuse fait de plis foliacés ou à demi charnus.

21. Léotie en forme de massue gélatineuse

22. Auriculaire en forme d'oreille plissée, de conque (coquille) ou de coupe irrégulière, gélatineuse

23. Pézize à réceptacle en forme de coupe et sessilé (sans pied), souvent de couleur vive

24. Pézize à réceptacle en forme de coupe avec pied généralement petit, souvent de couleur vive

Planche 2

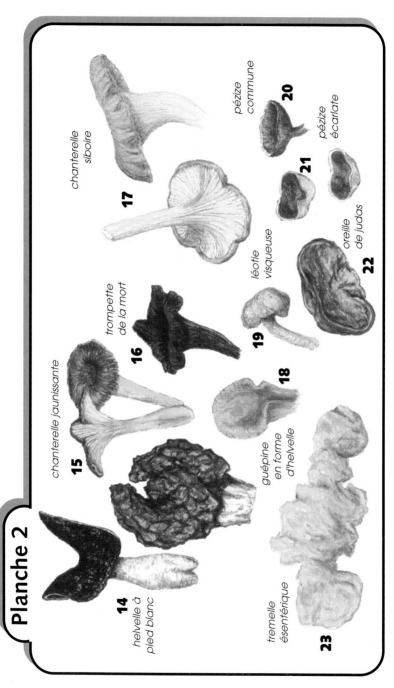

14 helvelle à pied blanc

15 chanterelle jaunissante

16 trompette de la mort

17 chanterelle siboire

18 guêpine en forme d'helvelle

19 léotie visqueuse

20 pézize commune

21 pézize écarlate

22 oreille de judas

23 tremelle ésentérique

PLANCHE 3

APPARENCE GÉNÉRALE DU CHAMPIGNON

25. Chanterelle en forme de cône renversé

26. Gomphe en forme de cône renversé

27. Clavariadelphe en forme de massue au sommet tronqué

28. Clavariadelphe en forme de massue au sommet arrondi

29. Clavaire à clavicules simples (en forme de lancette), charnues et cassantes

30. Clavaire à clavicules ramifiées, charnues et cassantes

31. Clavaire à clavicules en forme d'arbuste ou de corail, charnues et cassantes

32. Xylaire polymorphe

33. Mitrule en forme de spatule de couleur vive

34. Hydne (champignon à aiguillons) en forme de touffe ramifiée

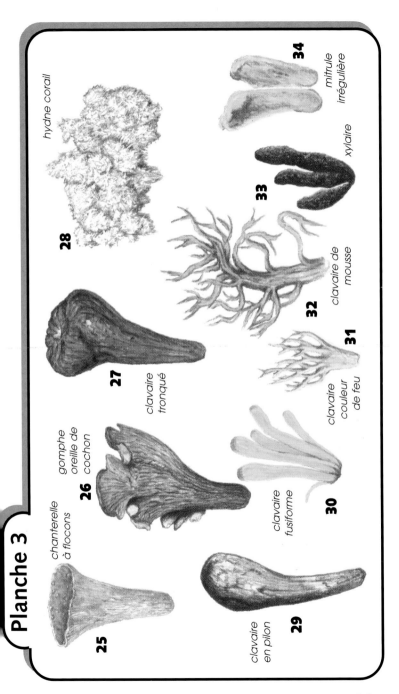

25 chanterelle à flocons

26 gomphe oreille de cochon

27 clavaire tronqué

28 hydne corail

29 clavaire en pilon

30 clavaire fusiforme

31 clavaire couleur de feu

32 clavaire de mousse

33 xylaire

34 mitrule irrégulière

PLANCHE 4

APPARENCE GÉNÉRALE DU CHAMPIGNON

35. Tremellodon ou Pseudohydne en forme de spatule gélatineuse recouverte extérieurement d'aiguillons mous

36. Polypore (champignon à tubes courts) en forme de console

37. Polypore (champignon à tubes courts) en forme de parasol

38. Polypore (champignon à tubes courts) en forme d'entonnoir

39. Polypore (champignon à tubes courts) en forme d'arbuste surmonté de petits chapeaux

40. Agaric (champignon à lamelles) en forme de console (pleurote)

Planche 4

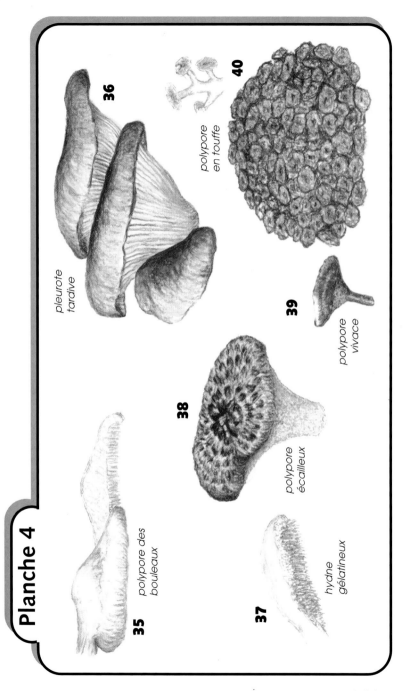

35 polypore des bouleaux

36 pleurote tardive

37 hydne gélatineux

38 polypore écailleux

39 polypore vivace

40 polypore en touffe

PLANCHE 5

APPARENCE GÉNÉRALE DU CHAMPIGNON

41. Bolet en forme de parasol

42. Bolet en forme de console

43. Hydne (champignon à aiguillons) en forme de parasol

44. Champignons en touffes ou fasciculés

45. Champignons connés, soudés à la base

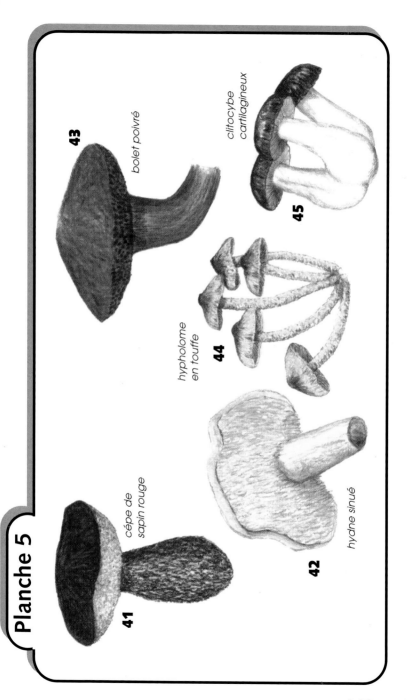

43
bolet poivré

clitocybe
cartilagineux
45

hypholome
en touffe
44

cépe de
sapin rouge
41

hydne sinué
42

PLANCHE 6

APPARENCE GÉNÉRALE DU CHAMPIGNON

46. Agaric (champignon à lamelles) en forme d'entonnoir

47. Agaric (champignon à lamelles) en forme de parasol sans volve et anneau

48. Agaric (champignon à lamelles) en forme de parasol avec volve

49. Agaric (champignon à lamelles) en forme de parasol avec anneau

50. Agaric (champignon à lamelles) en forme de parasol avec volve et anneau

Planche 6

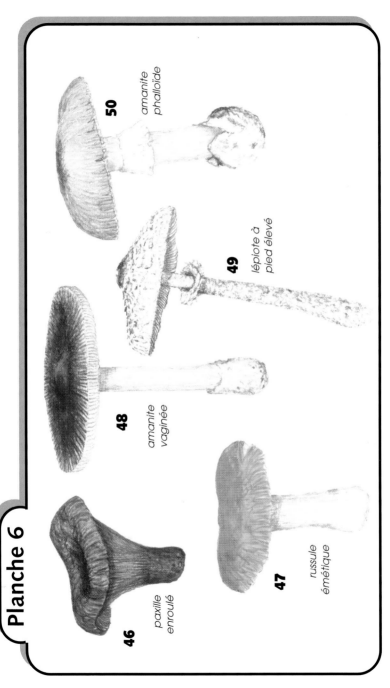

50 amanite phalloïde

49 lépiote à pied élevé

48 amanite vaginée

46 paxille enroulé

47 russule émétique

PLANCHE 7

APPARENCE GÉNÉRALE DU CHAMPIGNON

51. Vesse-de-loup géante en forme de boule aplatie

52. Boviste en forme de boule

53. Vesse-de-loup en forme de poire

54. Scléroderme en forme de boule craquelée ou aérolée

55. Hypomyces (chapeau généralement déformé)

LES AUTRES FORMES SONT SPÉCIFIQUES À CES CHAMPIGNONS

56. Géastre en étoile

57. Cyathe strié

58. Anthurus d'archer

59. Satyre des chien

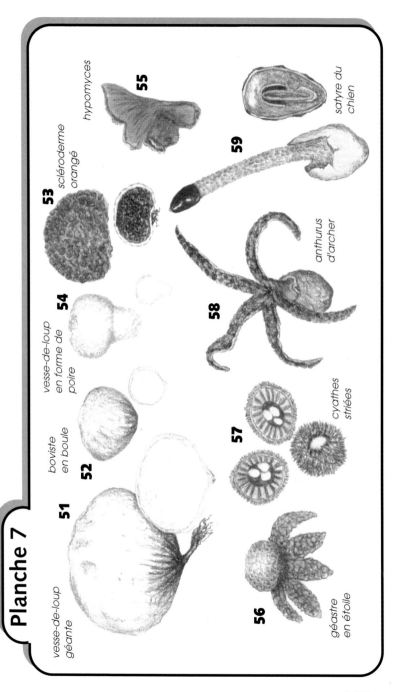

51 vesse-de-loup géante

52 boviste en boule

53 scléroderme orangé

54 vesse-de-loup en forme de poire

55 hypomyces

56 géastre en étoile

57 cyathes striées

58 anthurus d'archer

59 satyre du chien

PLANCHE 8

FORME DU CHAPEAU

70. **Globuleuse**
ex : pholiote squarreuse

71. **Glanduliforme**
ex : coprin noir d'encre

72. **Cylindrique**
ex : coprin chevelu

73. **Conique**
ex : hygrophore écarlate

74. **Campanulée**
ex : coprin micacé

75. **Convexe**
ex : bolet comestible

76. **En cloche**
ex : coprin noir d'encre

77. **Plate ou étalée**
ex : russule émétique

78. **Mamelonnée**
ex : marasme d'oréade

79. **Déprimée**
ex : clitocybe retourné

80. **Ombiliquée**
ex : clitocybe odorant

81. **En entonnoir**
ex : clitocybe en entonnoir

Les exemples mentionnés dans cette fiche n'ont pas toujours la forme du chapeau illustrée.

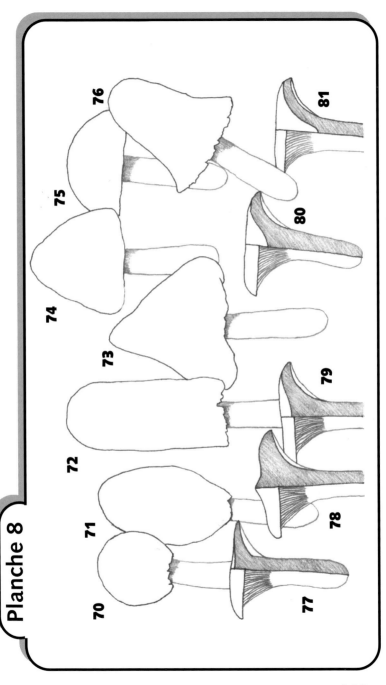

70
71
72
73
74
75
76
77
78
79
80
81

PLANCHE 9

TEXTURE DU CHAPEAU

90. **Granuleuse**
ex : cèpe des pins

91. **Lisse**
ex : amanite printanière

92. **À verrues pyramidales**
ex : amanite à chapeau épineux

93. **Méchuleuse**
ex : tricholome tigré

94. **À écailles retroussées**
ex : coprin chevelu

95. **À verrues minces et jonquille**
ex : amanite

96. **Gluante**
ex : bolet granulé

97. **Ridée, sillonnée ou crevassée**
ex : bolet à chair jaune

98. **Veloutée**
ex : paxille à pied velouté

99. **Squameuse**
ex : lépiote à pied élevé

100. **Craquelée ou aérolée**
ex : cèpe d'été

101. **Fibrilleuse**
ex : entolome en bouclier

102. **Floconneuse**
ex : bolet pomme de pin

103. **Tachetée**
ex : lactaire muqueux

104. **Hirsute, poilue, tomenteuse ou pubescente**
ex : lactaire à toison

105. **Zonée**
ex : lactaire délicieux

Les exemples mentionnés dans cette fiche n'ont pas toujours la texture du chapeau illustrée.

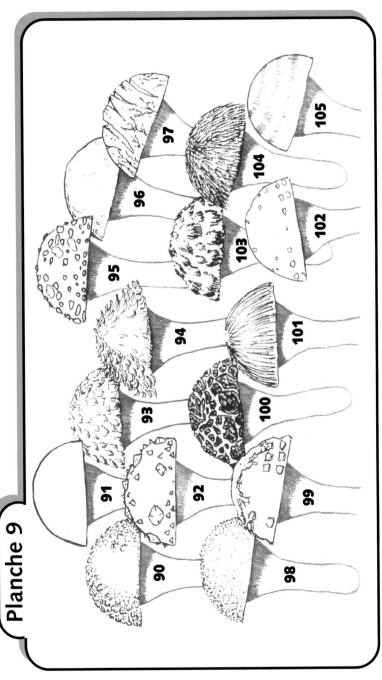

PLANCHE 10

MARGE DU CHAPEAU

110. **Lisse ou régulière**
ex : bolet à pied jaune

111. **Ondulée**
ex : coprin noir d'encre

112. **Lobée**
ex : hygrophore ponceau

113. **Striée**
ex : amanite vaginée

114. **Déchirée**
ex : hygrophore jaune-vert

115. **Festonnée**
ex : lépiote voisine

116. **Sillonnée**
ex : coprin micacé

117. **Frangée ou appendiculée**
ex : cèpe **appendiculé**

118. **Enroulée**
ex : paxille enroulé

119. **Incurvée**
ex : inocybe tacheté

120. **Étalée**
ex : hygrophore coul. pêche

121. **Retroussée**
ex : marasme **d'oréade**

122. **Revolutée**
ex : clitocybe sudorifère

123. **Déformée**
ex : chanterelle jaunissante

Les exemples mentionnés dans cette fiche n'ont pas toujours la marge du chapeau illustrée.

Planche 10

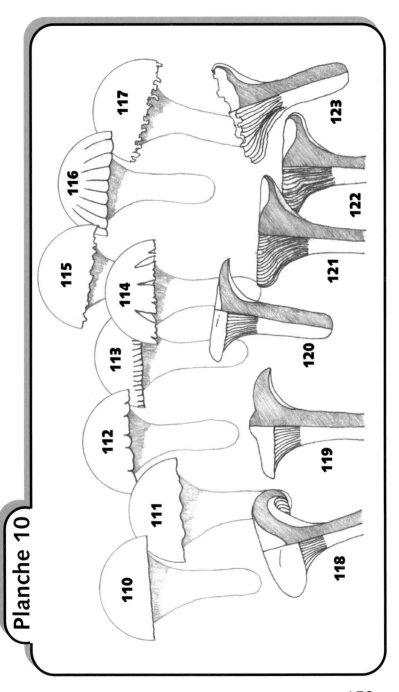

153

PLANCHE 11

MODE D'ATTACHEMENT DES LAMELLES OU DES TUBES AU PIED

130. **Fortement décurrents enroulé**
ex : paxille

131. **Longuement décurrents**
ex : clitopile petite prune

132. **Décurrents**
ex : clitopile avorté

133. **Adnés**
ex : pholiote écailleuse

134. **Libres**
ex : psalliote champêtre

135. **Échancrés**
ex : mélanoleuque à pied court

136. **Sinués**
ex : tricholome roux

137. **Émarginés**
ex : tricholome prétentieux

138. **Libres avec un collarium**
(Certains scientifiques mentionnent dans le Guide des champignons de Sélection qu'ils existent des champignons ayant cette caractéristique).

Les exemples mentionnés dans cette fiche n'ont pas toujours le mode d'attachement illustré.

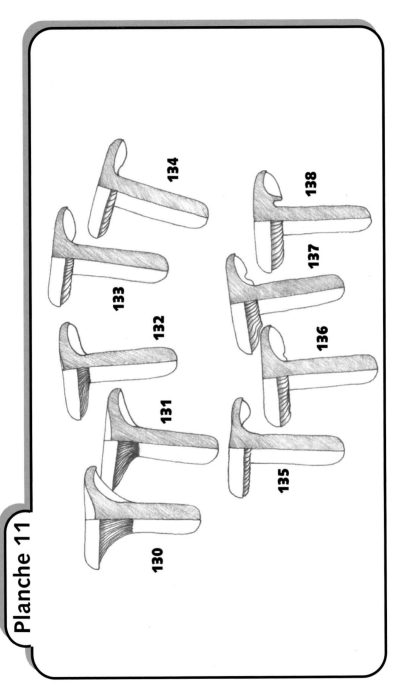

Planche 11

155

PLANCHE 12

PROFIL DES LAMELLES ET FORME DES LAMELLULES

FICHE 12

150. **Lamelles ascendantes**
ex : coprin chevelu

151. **Lamelles triangulaires**
ex : paxille enroulé

152. **Lamelles droites**
ex : pleurote

153. **Lamelles ventrues ou enflées**
ex : psalliote champêtre

154. **Lamellules galbées**
ex : volvaire remarquable

155. **Lamellules tronquées**
ex : amanite de Wells

156. **Lamelles festonnées ou ondulées**
ex : strophaire rouge vin

157. **Lamelles crénelées à l'arête**
ex : cortinaire blanc violet

158. **Lamelles dentelées ou serrulées**
ex : pholiote ridée

159. **Lamelles fimbriées à l'arête**
ex : inocybe floconneux

160. **Lamelles floconneuses à l'arête**
ex : collybie à larges feuilles

Les exemples mentionnés dans cette fiche n'ont pas toujours e profil et la forme illustrés.

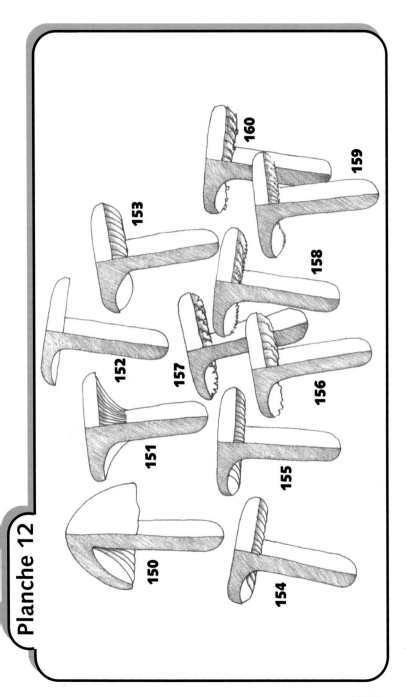

PLANCHE 13A

DISTRIBUTION ET FORME DES LAMELLES

170. **Lamelles espacées**
ex : hygrophore remarquable

171. **Lamelles serrées**
ex : psalliote champêtre

172. **Lamelles très serrées**
ex : coprin noir d'encre

173. **Lamelles veinées à la base**
ex : hygrophore à pied tors

174. **Lamelles fourchues**
ex : hygrophore des montagnes

175. **Lamelles ramifiées**
ex : clitocybe ombonné

176. **Lamelles espacées de lamellules**
ex : hygrophore rouge ponceau

177. **Lamelles espacées de lamellules**
ex : collybie à racine

178. **Lamelles crispées, plissées ou ondulées**
ex : marasme échalote

179. **Lamelles ondulées**
ex : entolome de gray

Les exemples mentionnés dans cette fiche n'ont pas toujours la distribution et la forme illustrées.

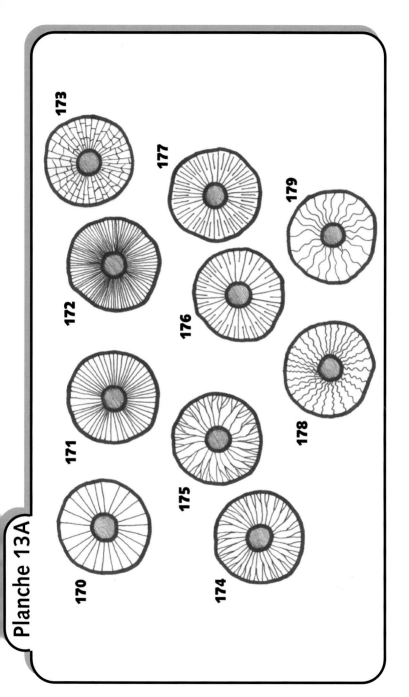

PLANCHE 13B

DISTRIBUTION ET FORME DES TUBES

180. **Tubes à pores fins**
ex : bolet jaune

181. **Pores des tubes ronds**
ex : bolet amer

182. **Pores des tubes anguleux**
ex : bolet veiné

183. **Tubes en forme polygonale**
ex : bolet à chair jaune

184. **Pores des tubes rayonnants ou lamelliformes**
ex : bolet doré

185. **Tubes longs**
ex : bolet élégant

186. **Tubes courts**
ex : bolet bleuissant

187. **À aiguillons**
ex : hydne sinué

Les exemples mentionnés dans cette fiche n'ont pas toujours la distribution et la forme illustrées.

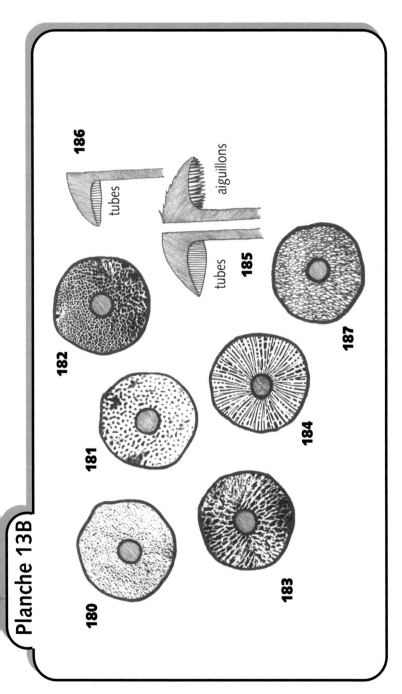

180

181

182

183

184

185 tubes

186 tubes

aiguillons

187

PLANCHE 14

POSITION ET FORME DU PIED

190. Latérale
ex : pleurote en forme d'huîtres

191. Excentrique
ex : pleurote de l'orme

192. Cylindrique
ex : strophaire semi-globuleux

193. Étranglée
ex : hygrophore bicolore

194. À base rétrécissante
ex : gymnopile remarquable

195. Claviforme
ex : cortinaire bleu de mer

196. Atténuée et courte
ex : paxille des aulnes

197. Fusiforme
ex : entolome livide

198. Ventrue
ex : bolet royal

199. Fusiforme allongée
ex : cortinaire laineux

200. Bulbeuse
ex : lépiote élevée

201. Radicante
ex : coprin chevelu

202. Filiforme
ex : marasme androsace

203. Avec un petit sclérote
ex : collybie du cooke

204. Bulbe aplati
ex : tricholome à pied strié

205. Bulbe tronqué
ex : cortinaire à bulbe tronqué

206. Bulbe marginé
ex : cortinaire élégant

207. Bulbe discoïde
ex : inocybe négligé

208. Bulbe déformé
ex : helvelle crépue

209. Irrégulière
ex : gyromitre comestible

Les exemples mentionnés dans cette fiche n'ont pas toujours la position et la forme illustrées.

Planche 14

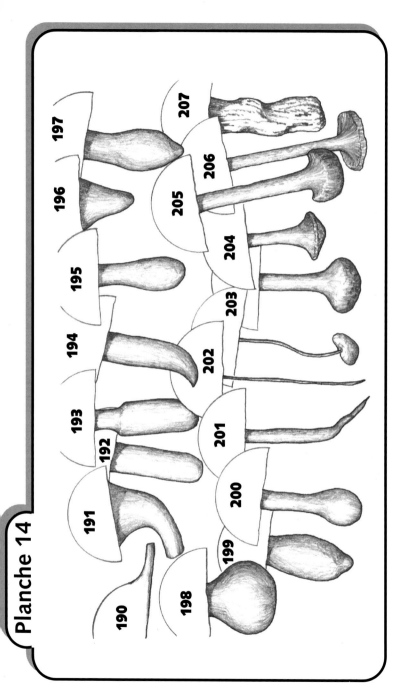

163

PLANCHE 15A

TEXTURE DU PIED

210. **Lisse**
ex : fausse chanterelle

211. **Glutineuse**
ex : hygrophore à pied glutineux

212. **Pruineuse**
ex : bolet à pied rouge

213. **Feutrée**
ex : clitocybe à chapeau gris brun

214. **Granuleuse**
ex : bolet collinitus

215. **Mouchetée**
ex : bolet à pied rouge

216. **Scrobiculée**
ex : lactaire délicieux

217. **Floconneuse**
ex : bolet pomme de pin

218. **Zonée**
ex : cortinaire purpuracé

219. **Ridée**
ex : russule charbonnière

220. **Striée ou sillonnée**
ex : cèpe noircissant

221. **Fribrilleuse**
ex : cortinaire à couleurs vives

222. **Veloutée**
ex : paxille à pied velouté

Les exemples mentionnés dans cette fiche n'ont pas toujours la texture illustrée.

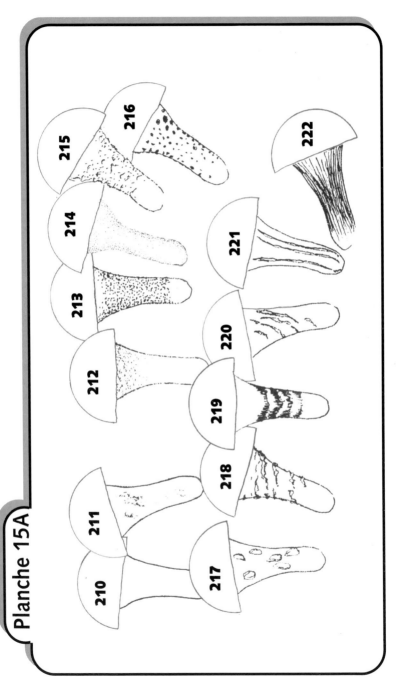

PLANCHE 15B

TEXTURE DU PIED

224. **Réticulée**
ex : cèpe de Bordeaux

225. **Écailleuse**
ex : armillaire couleur de miel

226. **Pied avec des anneaux**
ex : cortinaire laineux

227. **Méchuleuse**
ex : pholiote changeante

228. **Pelucheuse**
ex : amanite tue-mouches

229. **Poilue**
ex : clitocybe en entonnoir

230. **Squameuse**
ex : cortinaire visqueux

231. **Pleine**
ex : pholiote ridée

232. **La chair se colore**
ex : bolet bleuissant

233. **Farcie**
ex : armillaire couleur de miel

234. **Creuse**
ex : lactaire sanguin

235. **Lacuneuse**
ex : bolet bleuissant

Les exemples mentionnés dans cette fiche n'ont pas toujours la texture illustrée.

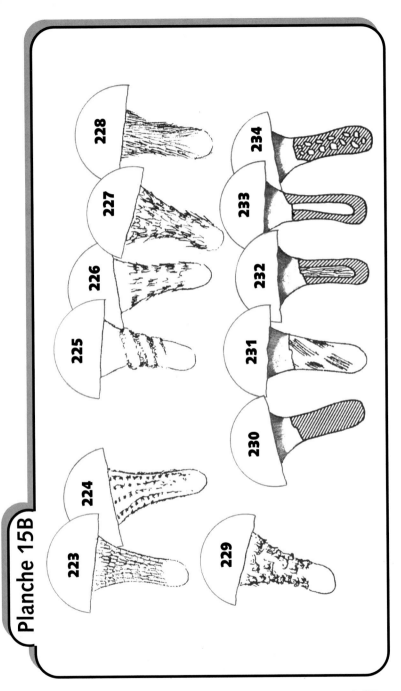

PLANCHE 16

DESCRIPTION DE LA VOLVE

240. **Volve membraneuse**
ex : amanite des Césars

241. **Volve membraneuse et haute sur le pied**
ex : amanite vaginée

242. **Volve avec bourrelets**
ex : amanite tue-mouches

243. **Volve écailleuse**
ex : amanite à chapeau épineux

244. **Bulbe lisse presque sans reste de volve**
ex : amanite solitaire

245. **Volve circoncise sur un bulbe marginé**
ex : amanite brunissante

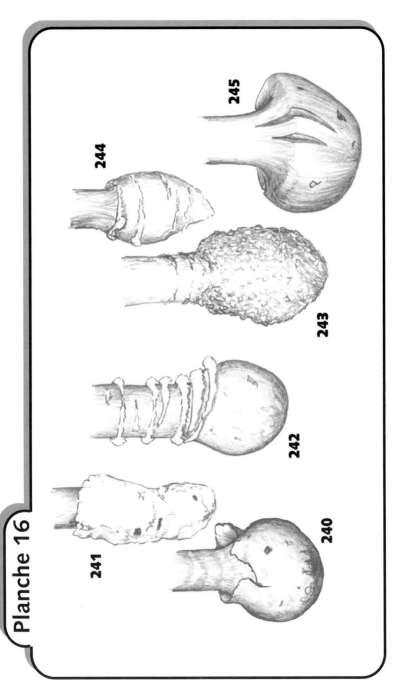

PLANCHE 17A

DESCRIPTION DE L'ANNEAU

260. **Anneau simple, fixe et rabattu**
ex : amanite brunissante

261. **Anneau simple, fixe et en jupon**
amanite bisporigène

262. **Anneau strié et dentelé**
ex : amanite âpre

263. **Anneau strié**
ex : amanite épaisse

264. **Anneau dentelé**
ex : psalliote champêtre

265. **Anneau ample**
ex : psalliote très rare

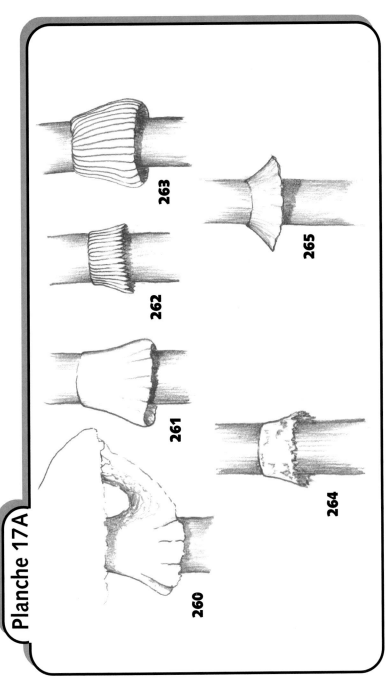

263

265

262

261

264

260

PLANCHE 17B

DESCRIPTION DE L'ANNEAU

266. **Anneau simple et mobile**
ex : coprin chevelu

267. **Anneau double et complexe**
ex : psalliote de rodman

268. **Anneau simple, fixe et remontant**
ex : pholliote du peuplier

269. **Anneau en bourrelet**
ex : strophaire géant

270. **Anneau double et crénelé et mobile**
ex : lépiote élevée

271. **Cortine et zone annuliforme**
ex : les cortinaires

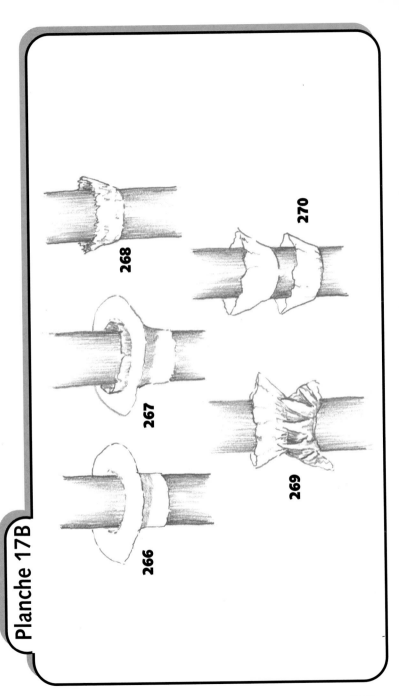

266

267

268

269

270

PLANCHE 18

DESCRIPTION DE LA CHAIR

300. Mince
ex : coprin chevelu

301. Épaisse
ex : dermatose des russules

302. Molle
ex : clitocybe à pied renflé

303. Ferme
ex : armillaire couleur de miel

304. Tendre
ex : pleurote en forme d'huître

305. Coriace
ex : pleurote tardive

306. Gélatineuse
ex : trémelle gélatineuse

307. Cassante
ex : morille comestible

308. Cartilagineuse
ex : marasme d'oréade

309. Laiteuse
ex : lactaire délicieux

310. Granuleuse
ex : russule charbonnière